Colisiones

Colisiones

Luis Miguel Estrada Orozco

ARLEQUÍN

AEMI
Alianza
de Editoriales
Mexicanas
Independientes

Miembro fundador de la
Alianza de Editoriales Mexicanas Independientes (AEMI)
http://aemi.mx

Premio Nacional de Cuento Juan José Arreola 2008

© Luis Miguel Estrada Orozco

D.R. © 2015 Arlequín Editorial y Servicios, S.A. de C.V.
Teotihuacan 345, Ciudad del Sol
CP 45050, Zapopan, Jalisco
Tel. (52 33) 3657 3786 y 3657 5045
arlequin@arlequin.com.mx

www.arlequin.mx

ISBN 978-607-8338-39-9

Impreso y hecho en México

Ahí viene la plaga

Cuando las hormigas comenzaron a multiplicarse e hicieron su descendencia numerosa como las estrellas nadie se inmutó. Yo mismo, acostumbrado a vivir junto a un lote baldío que reverdecía cada época, vi sin el menor apuro cómo miles de puntos negros asaltaban mi cocina más de una vez. Tal pareciera que durante aquel año las comas de todos los libros impresos hasta la fecha hubieran saltado fuera de las páginas y, con sus extremidades recién adheridas a sus negros cuerpecitos, se hubieran aliado con puntos suspensivos, puntos y comas, dobles puntos, puntos a secas, diéresis y otras tildes para formar el batallón del fin del mundo. Nosotros, me refiero a nosotros los mexicanos, no hicimos caso a la crisis que se gestaba en nuestros patios y en nuestros cestos de basura, junto a nuestros alimentos diarios y alrededor de nuestros graneros. No fuimos los únicos, de eso estamos seguros. Conforme pasaron los meses y la invasión de las laboriosas colonizadoras adquirió tintes de profecía bíblica, focos rojos en diversas naciones comenzaron a aparecer a la par que la nuestra se volvía el caótico hervidero de patitas dispuestas a conquistar la tierra perdida por años de civilización y de patotas correlonas que no podían acabar con la plaga pisoteándola de cuando en cuando, ni alejarla rayando puertas y dinteles con gis chino.

Yo veía la televisión a mediodía, después de un pleito con Paulina, y algo se comentó respecto a una plaga de hormigas. En ese momento yo estaba convencido de que si algo era televisado tenía que haber sido forzosamente tergiversado. Entonces, ponía muy poca atención a la televisión pero la veía constantemente en espera de que su sintonía dispersara el ruido en mi cabeza y me ayudara a escuchar sólo mis buenas ideas. No recuerdo el cómo ni el porqué de la nota. Recuerdo, sin embargo, que algo tenía que ver con comida o con cosechas; recuerdo también el lugar: la plaga había iniciado en el sureste del país, esa región propensa a multiplicar vida y problemas, y a ser poco escuchada cuando las broncas saltan. Ahí fue el primer punto donde las hormigas atacaron.

Pero estoy sonando amarillista. Las hormigas no atacaron a nadie. Ahí estaban antes que la raza humana y de pronto quisieron recuperar su lugar en el mundo. No lo sé, quizás en alguna época antediluviana las hormigas fueron la raza superior de este planeta. Durante miles de años nos vieron evolucionar y repartirnos las jerarquías de nuestras torpes tribus a base del compadrazgo y los chingadazos. Burlándose desde su organización perfecta, tal vez se cansaron de esperar bajo la tierra a que las sobras de comida se cayeran de la mesa y, sin más, salieron todas juntas dispuestas a comer, reproducirse y crecer. Si acaso fue una invasión, no tuvo el caos que uno asocia con la marabunta. Su éxito sobre nosotros se basó en su orden, en su coexistencia perfectamente sincronizada. Muchos expertos dieron su opinión al respecto pero todos llegaron a una misma conclusión: nuestra desventaja principal fue el caos, sólo eso. Nuestra superioridad tecnológica y física no fue rival para nuestra ineptitud e incapacidad de coexistencia. El problema de las hormigas nos atacó y nos comimos entre nosotros antes de que ellas nos empezaran a devorar con sus mandíbulas diminutas de titánica fuerza o nos dejaran sin alimentos.

«Hay una plaga de hormigas», le dije a Paulina antes de que ella saliera al súper. «Con DDT se libra uno de ellas. O cerrando las bolsas de basura. En cambio de pendejos como tú no hay modo de zafarse». Apagué la tele y no la volví a encender en varios días. El comentario tenía razón, pero ella no tenía derecho. Yo me había tropezado por azar con un amor de mi adolescencia y ella no toleró que reavivara fuegos de mi pasado. Paulina regresó del súper sin haber comprado nada y esa semana la pasamos sin comida. Ella llegaba a la casa únicamente a dormir y yo, desde mi campamento de desterrado montado en la sala, no encontraba cómo hacerla volver a mi lado.

Las semanas pasaron rápidas desde esa primera noticia. Lo siguiente que supe de mi mujer fue que me había abandonado. Desperté y no la encontré: se había ido a casa de su madre. Invariablemente lo hacía cuando estábamos en dificultades así que ni siquiera dudé sobre su paradero cuando me levanté del sofá y la fui a buscar a la que algún día fue nuestra habitación. Hablé por teléfono con ella más tarde y estuvimos de acuerdo en que se quedara allí tres días hasta que su mente anegada en dudas (sólo dudas tiene una mujer) se aclarara por completo.

Al encontrarme solo y con el refrigerador vacío, hice lo único que puede hacer un cantor de bar en bar cuando se encuentra en una situación de abandono y desespero: compré provisiones para tres días y me atrincheré en la habitación tal como lo dictaban las normas militares de mi guerrilla sentimental: yacía sobre la cama, guitarra en mano, con una libreta y un bolígrafo prestos a atrapar la inspiración que no tardaría en traerme una tonada triste y mala; junto a mí se encontraban mis apuntes de la abandonada escuela de música con mil acordes comentados para evitar que la musa se escapara si acaso la nota buscada no estaba entre mis recuerdos. Frente a mí estaba mi televisor de veintiuna pulgadas (que me producía un contradictorio orgullo pues mi única posesión de valor era una máquina, a mi ver, de mentiras) y, junto a la cama, estaban las provisiones que mis últimos doscientos cincuenta pesos me compraron: dos botellas de ron blanco, una Coca-Cola de dos litros y las papas fritas más grandes que encontré.

En mi segundo día de trinchera la inspiración se mantenía ausente, así que encendí la televisión y me encontré con que el mundo había cambiado desde la última vez que la encendí. Había noticias en todos los canales acerca de la hambruna que desmadraba los países menos agraciados por las deidades de la economía de mercado. Las hormigas se comían cuanto hallaban a su paso en Etiopía, Mozambique, Ruanda y Senegal. La noticia me pareció de pronto un eco de algo que había escuchado ya y tuve que abandonar mi puesto de mando para corroborar mis dudas. Fui a recoger, vestido tan sólo con bóxers y playera, los periódicos atrasados que estaban en la puerta de mi casa. Al leer los titulares, agradecí la necedad de Paulina que nos había mantenido suscritos por lo menos a un diario mediocre. Ahí estaba, frente a mí, la plaga gestándose y explotando en nuestras narices.

Al parecer, los países africanos no eran los únicos afectados. Leyendo los periódicos me di cuenta de que alarmas similares habían surgido alrededor del mundo entero. «África sin alimento. Plaga de hormigas arrasa cosechas» «Vietnam y Laos en alerta debido a infestación de hormigas». Todo seguía así. Entonces recordé que el mundo nunca está tan lejos y, mientras me frotaba los pies descalzos uno contra otro víctima de cosquilleos, seguía leyendo los periódicos y aún buscaba en su interior noticias de lugares más cercanos.

Nicaragua y Bolivia sufrían suertes similares a la de aquellos países tan alejados. Pero la cosa no paraba ahí: también México se caía a pedazos gracias a que las hormigas se comían todo el pegamento con que habíamos unido nuestra frágil realidad. «Oaxaca, Guerrero y Michoacán se suman a la emergencia por la plaga». Así me di cuenta de que el sureste sólo fue el inicio. El problema se expandía y no había forma de pararlo. Traté de seguir leyendo, pero el cosquilleo en mis piernas se había extendido hasta por debajo de mi ropa interior. Al mirar hacia mi cuerpo que hormigueaba, solté un grito: me invadían. Miles y miles de ellas buscando alimentarse de mis pantorrillas, muslos y entrepierna. Asustado, las golpeé con los periódicos que aún sostenía y corrí hacia la regadera para quitarme la plaga que me comía vivo.

Hasta donde daba la información en diarios, radio y televisión, nadie estaba seguro de por qué las hormigas se habían multiplicado ni de cómo se habían vuelto tan agresivas. Recordé mis días viéndolas comerse migajitas de pan que se quedaban en la cocina y me juzgué tan estúpido por no haber vislumbrado el problema crecer en mi propia cocina. Quizás con DDT o cerrando las bolsas de basura habría logrado contribuir un poco a salvar a la raza humana. No lo sé.

Alguna dependencia de gobierno (con un nombre largo, burocrático y vago) había sido cargada con la responsabilidad aquí en México. Cada país lidiaba con el problema a su modo, con sus instituciones. En México, se hacía lo que mejor se sabe hacer: se hablaba de cifras que nadie podía comprobar, se culpaba a instituciones que culpaban a instituciones que se quejaban con poderes del Estado que reclamaban a un presidente que estaba de gira en Europa que pedía calma por televisión desde una *suite* en Roma. Nadie daba respuestas pero todos se quejaban. Había organismos burocráticos que supuestamente habían sido creados para contener y solucionar crisis de esta índole y otras aún más macabras, pero estaban plagados de gente poco calificada que sólo sabía llenar formatos, cobrar multas, hacer oficios y perrear su hueso en los cambios de administración de partidos. Nadie esperaba que el fin del mundo viniera a través de las hormigas, nadie les hizo caso jamás, ni siquiera cuando comenzaron a reclamar a gritos su lugar en el mundo. Mientras las hormigas crecían y se multiplicaban, la gente las ignoraba y las mataba de un pisotón o las bañaba con insecticida y otros productos de ocasión que sólo retrasaban la invasión inevitable. Nadie se ocupaba de levantar la basura ni de lavar sus platos sucios, mucho menos de cuidar graneros y cosechas. Ni siquiera supimos jamás la causa original de su existencia, sólo tratamos de evitar que nos aniquilaran.

Mientras la crisis se comenzó a agravar, la gente pedía a gritos solución. Olas de violencia en contra de las instituciones que deberían haber lidiado con el problema de raíz se desataron. La gente olvidaba, sin embargo, que las instituciones están hechas de personas. Allí, en esas oficinas a donde una turba lanzaba bombas molotov, se encontraba atrincherada gente que sufría el mismo problema. El que lanzaba las bombas, el que las recibía, quien perdía cosechas y todos los que veíamos la tele o leíamos los periódicos nos quedábamos maravillados por la magnitud del problema y cuestionábamos las acciones de todos los demás. Veíamos la tele y en el cuento que se nos formaba repartíamos culpas y categorías: los villanos, ciertos héroes, muchas víctimas, pero se nos olvidó que en la vida real no hay buenos ni malos y que aún los más malos son vecinos de los buenos. Perdimos de vista el problema y nos concentramos demasiado en altercados, manifestaciones, opiniones encontradas y polémica mediatizada.

Los países de mayor adelanto tecnológico tenían maneras poco innovadoras de lidiar con la plaga. Cerraron las fronteras a todo aquello que proviniera de países con el problema. «A todo aquello» significó desde alimentos, donde las hormigas exploradoras se escondían fácilmente, hasta personas y productos de todos tipos. Eran increíbles los recovecos en los que las hormigas se ocultaban para esparcirse por el mundo. Machos y hembras alados copulaban por encima de cualquier frontera y esparcían así la plaga y creaban nuevas colonias perfectamente organizadas que lanzaban millones de obreras a masticar todo lo que se cruzara en su camino. Los muros, entonces, tuvieron que pasar de ser solamente económicos y diplomáticos. Hubo que levantar controles físicos en las fronteras donde la gente era constantemente rociada con insecticidas y las tierras y aire fronterizos eran envenenados con productos químicos que formaban una barrera supuestamente infranqueable para las hormigas que ya habían empezado a devorar ganados, vagabundos y animales callejeros.

Los países no fueron los únicos que se dividieron en ricos y pobres. Repitiendo nuestros fallos en otras dimensiones, las ciudades mismas se dividían de igual manera: los que podían se encerraban a cal y canto con reservas alimenticias que siempre terminaban por ser devoradas por oleadas de hormigas que hallaban en nuestra ingenuidad el modo de hacer prevalecer su disciplina. Gente pobre pedía limosna de comida a sus puertas, pero eran repelidos por cubetazos de agua helada o vajillas importadas lanzadas desde las ventanas. La violencia cobró su cuota y las lujosas viviendas fueron allanadas e incendiadas en reclamo.

Las hormigas explotaron en la cara de todos. En poco tiempo nos trajeron el infierno a las puertas de las casas. El campo, donde abunda (o debería abundar) la comida, recibió los golpes más tempraneros. En las ciudades la cosa era menos grave, pero sólo hasta que el alimento en el campo se acabó y entonces las ciudades fueron golpeadas con mayor fuerza aún, pues enfrentaron simultáneamente hambre, furia y desesperación. Las hormigas se acabaron la comida y azotaron las ciudades, se comieron el plástico de los aislantes eléctricos ocasionando cortos y explosiones por fugas de gas, y así nos regresaron a una era primitiva que hizo que se desbordaran los instintos. Dividieron al padre contra el hijo. No trajeron la paz, sino la espada.

Para cuando el pandemónium se encontraba en su apogeo, Paulina ya había regresado a mí. Ella fue la primera persona que me comentó de viva voz de un caso de asesinato a manos (o a patas y mandíbulas) de las hormigas. Su madre, según me dijo, se quedó dormida una tarde mientras Paulina salía a buscar cualquier cosa para comer, que ya escaseaba alarmantemente. La avaricia de mi suegra fue su fin, pues en cuanto Paulina salió, la matriarca sacó de entre sus ropas una dona de chocolate envuelta en plástico que engulló de un bocado y que le dejó un recuerdo de dulce en los dedos. Las hormigas se acercaron atraídas por el chocolate que había impregnado los dedos de mi suegra y esto las llevó a probar la carne humana. No se detuvieron hasta que la devoraron hasta los huesos.

El proceso debió llevarles algo así como una hora porque cuando Paulina volvió sólo encontró los restos de su madre. Sin darle el menor tiempo al luto, olvidó el problema que nos había separado y huyó de vuelta a mí. Encontró la casa, para su sorpresa, libre de hormigas; sin embargo, me encontró borracho. A pesar de este detalle, se sintió feliz de hallarme en una pieza. Dado lo prolongado de su ausencia, todo resto de alimento en la casa había sido consumido por mi persona. Las noches (muchas, pero muchas más de tres) que me dejó me las pasé emborrachándome furiosamente en los bares en los que tocaba notas tristes sobre mi abandono. Mientras yo cantaba, los clientes cada vez más escasos se aporreaban los rostros y los cuerpos buscando sacudirse las hormigas. Para cuando los bares y muchos negocios más comenzaron a cerrar, la gente tenía marcas de mordidas de hormiga en todo el cuerpo. Aparentemente la bendición de mis malos hábitos fue mi salvación en el momento en que las hormigas comenzaron a alimentarse de humanos: comía fuera, no mantenía alimentos en mi casa y siempre, pero siempre, estaba empapado en alcohol (mi propio robo hormiga de los lugares en donde tocaba) y envuelto en humo de tabaco.

En México y el resto del mundo no había suficiente comida para mantener a humanos y hormigas. Los países europeos, los Estados Unidos, las economías asiáticas seguían firmes en sus mecanismos de control. Así que, mientras nosotros aprendimos a no dejarnos devorar por las hormigas y a tostar a cuantas fuera posible para comer cuando no había nada más, los países del primer mundo tuvieron que lidiar con un problema aún mayor: generaron super-

hormigas en las franjas fronterizas donde se habían estable-
cido los bloqueos químicos. De buenas a primeras a estas
hormigas a prueba de balas les valieron madres todos los
insecticidas y químicos del mundo. Veloces y feroces muta-
ciones genéticas las proyectaron con una furia total hacia
el interior de las superpotencias. No se imaginaron que a
base de controles tan rígidos estaban formando enemigos
tan furiosos. Confiados en su fuerza y su tecnología, no
imaginaron que el enemigo (chiquito, pero numerosísimo
y vuelto feroz por sus propias manos) se les subiría a las
barbas por el primer hueco que dejaran. En estos países la
muerte y la devastación superaron todo el horror que ya se
había visto en el resto del globo.

El mundo se cayó en pedazos. Es imposible para mí,
triste cantautor, describir a profundidad el caos que se
generó con las hormigas. Gradualmente todo el mundo se
dio cuenta de que estaba conectado con todo el mundo.
A través de los cierres fronterizos, las economías mundia-
les se vinieron al suelo; con el caos social y los reclamos al
gobierno, esa figura paternalista que la gente espera que
resuelva todo, se perdió la oportunidad de llegar a una solución y se fracturó la sociedad hasta casi olvidar el concepto
de *país* o *compatriota*; sin embargo, con el hambre y la des-
trucción de la civilización, aprendimos a vivir en un mundo
que ya nos era ajeno.

No voy a mentir. Los primeros años después del fin
del mundo todos extrañábamos la electricidad, la luz, la
comida de microondas o a algún pariente que las hormigas devoraron, por no mencionar a los millones que habían
muerto por el hambre, el crimen, la violencia y los distur-
bios. Cuando el fin del mundo terminó, no estuvo Dios
presente para juzgar a los que quedamos. Mucha gente se

quedó mirando hacia el oriente en espera de encontrar a la deidad de sus sueños envuelta en fuego o en luz blanca dispuesta a cumplir los designios bíblicos o coránicos, pero sólo hubo el espectáculo siempre feliz de un amanecer en calma. La gente se miró las caras confundidas y decidió seguir viviendo.

Las hormigas, por su parte, conscientes de que eran demasiadas y la comida no iba a alcanzar, se pusieron en huelga de pierna cruzada y todas las reinas de todas las colonias evitaron desovar hasta que sus números se reestablecieron en un óptimo de población. En vista de que era seguro tener bebés de nuevo, pues ya no peligraban sus vidas debido al hambre de las hormigas, la gente volvió a hacer el amor.

Paulina y yo nos abstuvimos de traer críos al mundo hasta nuevo aviso debido al miedo que crecía dentro de mí al ver a mis congéneres reorganizarse después de haber sobrevivido a las bestiecitas del armagedón. De pronto la gente había recobrado la calma y en nuestra nueva vida, que era una extraña mezcla entre la época de las cavernas y un apagón, algo me decía que la cosa no marchaba. Con la nueva calma, la gente buscaba frenéticamente la reconstrucción del mundo perdido. Tener bebés era cosa de generar mano de obra para las reconstrucciones venideras. Se convocaban elecciones en las nuevas tribus y la comida se racionaba de acuerdo a las jerarquías de reciente creación establecidas a fuerza del chingadazo y el compadrazgo. Nuestra terca, estúpida naturaleza no murió con la civilización que mataron las hormigas. Algo sobrevivió, algo durmió dentro de nosotros como mucho tiempo durmieron las hormigas dentro de la tierra. Y ese algo quería despertar.

Mis canciones se avocaron entonces a estos temas, ante el descontento de los líderes autoproclamados. La historia de mi tribu nunca lo contará, pero soy el primer caso de un asesinato por motivos políticos desde el fin del mundo. Ya al guardar la guitarra en el estuche y quedarme sin un lugar para cantar en la fogata de las noches, presentí la desgracia de mi muerte por garrotazo y las manos de Paulina descubriendo mi cadáver. También recordé sus palabras que alguna vez fueron burla, pero ahora eran profecía vuelta realidad «Con DDT se libra uno de ellas. O cerrando las bolsas de basura. En cambio de pendejos como tú (como nosotros), no hay modo de zafarse».

8 de septiembre de 20…

Coger el humo

—¿Qué puede platicarnos sobre sus inicios? ¿Cómo descubrió su arte y por qué decidió hacerlo su forma de vida?

El entrevistado guarda un silencio casi absoluto. A través de los silbidos de su garganta destruida y sus pulmones alquitranados, habla toda una vida dedicada a las figuras inasibles que hace bailar y contorsionarse animadas por el insuflo de la vida de sus labios amarillos hasta darles una forma exacta que sólo dura unos momentos. El ritual preparativo lleva desde unos minutos hasta varias horas. Asegura tener una figura que tardará en formarse tres días cuando termine de perfeccionarla, pero cada escultura tiene el mismo destino una vez que el arte llega al clímax: dos segundos en los cuales se vislumbra una silueta y hace una mueca el aire, que le sonríe feliz, asombrado, cómplice y complacido, al humo. El hombre es hermosura atípica y escándalo, es ícono de enfermedad, de muerte y de belleza. El hombre es un artista.

—Empecé a hacer arte hasta ya entrados mis veintes. Toda mi vida antes de eso fue preparación, pero no lo sabía todavía. Ahora mismo llevo diecisiete años entregado a esta vida nueva y estoy por alcanzar la cima, el último reto, la mayor figura.

—Sobre esto hablaremos más adelante, pero antes,

¿dónde encuentra usted el germen de su arte? ¿Es arte lo que hace?

—¿Es arte la escultura en hielo? ¿Lo son los castillos de arena? ¿Y las figuras formadas con fichas de dominó que se golpean las espaldas una tras otra, comunicando el mensaje de creación y de belleza de quien las acomodó una a la otra? Todo lo anterior puede ser arte o no. ¿Usted lo puede decidir?

Como muchos «artistas atípicos», es diestro cuando se trata de escapar de estos ataques de la prensa, los entrevistadores, los críticos de arte, que, hasta ya entrados los años de su madurez como creador, no habían vuelto sus ojos hacia él por considerarlo charlatán y simple equilibrista de fluidos. Gracias a un encierro accidental en un local de plaza comercial con una vitrina al exterior fue que se dio a conocer y, desde ese día hasta hoy, se ha convertido en visitante recurrente de noticieros, reportajes especiales y, en contra de toda norma de publicidad, herramienta viva de mercadotecnia.

El entrevistador lo invita a que se tome la molestia de contar el hecho una vez más y él accede, siempre accede, recitando de memoria su modesta historia.

—El local se iba a volver tienda de ropa. Yo era pintor de brocha gorda, el único empleo que sostuve por más de cinco meses, y tenía el encargo de aplicar la primera y la segunda mano de pintura. Comencé por el plafón, blanco, la parte más cansada. Seguí por la pared del fondo con el mismo color y terminé con las dos paredes laterales en negro mate a las que esperaba dar una mano final de sellador. El olor de la pintura, el horario en el que aún había algunos negocios trabajando y mi propensión a la soledad y al silencio me hicieron cerrar la puerta. Encendía un cigarrillo tras otro sin parar, que es la única forma de fumar que conozco. Yo no tenía la llave ni había ventilación suficiente. La pintura acrílica, menos tóxica que otras, evitó que cayera desmayado o vomitara por la densidad acumulada en el aire, pero ése no fue el único milagro que ocurrió. Una idea vieja que me había visitado ya en mi habitación volvió a mí. Sentado, tomando un descanso como estaba en medio del lugar, a la espera de que secara bien la pintura y de que mis brazos descansaran, vi el aire sonreír sobre mi cabeza.

El local no estaba cerrado herméticamente y el aire seguía proveyendo comburente. Desde que abrí el primer bote de pintura, nunca dejé de fumar, pero hasta que estuve sentado, pensando en vaguedades, noté que el local estaba lleno de humo de cigarro y que aquél que yo emanaba se amalgamaba con el ya existente de un modo casi plástico. Los espejos, traídos a mí por error, pues ningún pintor quiere cargar con tal responsabilidad en un local vacío, me regresaban desde varias direcciones las imágenes que yo creaba con mi boca sin otro propósito que matar el tiempo. Mientras estuve pintando los acomodé aquí y allá sin ordenarlos de manera alguna. Mi pereza me invitó a dejarlos desnudos tal como llegaron y un golpe de suerte me ayudó a ver en ellos lo que en mi cabeza ya tenía alguna forma, un destello que no acababa de mostrarse por completo.

Aquellas nubes que yo creaba, a diferencia de las que se forman en el cielo, no compartían la subjetividad de quien observa y cree adivinar formas en ellas, como después lo noté cuando volví la mirada hacia la vitrina que daba a la plaza y vi que diez o más curiosos se petrificaban frente a la danza ininterrumpida de mis nubes artificiales de amargas exhalaciones de alquitrán. Yo creaba, ellos miraban, pero quise saber si la gente veía las figuras de su propia cabeza en mi humo o si mis figuras llegaban a ellos como una especie de pintura al aire, así que, para dar la visión completa de lo que ocurría en mi cabeza y que se transportaba hacia el aire de aquel local, me arrastré hasta la pared del fondo, la blanca, para bañarla generosamente con la pintura negra destinada a la segunda mano que jamás llegó.

La gente entendió. Formaba un perro caniche y ellos sonreían. Los escuchaba claramente a través de la vitrina «Es un perro, ¿lo ves?», y continuaba entonces hacia otros diseños que ya había trabajado en mi soledad de desempleado, subjetivos siempre hasta donde yo había creído, pero que ahora eran tan visibles para los espectadores como para mí. No lo supe hasta entonces, pero todo lo que había entrenado para mí, sin ningún afán espurio, estaba a punto de volverse una forma de vida. Algo tan personal como un gusto solitario se volvió, sin más, en un espectáculo que un desconocido agradecía, que alguien más podía disfrutar y comprender. Así seguí con una espada, un ave, un hombre de nieve, repetí los que más gustaron a los niños y fui corrido a gritos por el dueño del local cuando llegó a supervisar el trabajo que llevaba hecho. Cuando me despidió, hubo algo más que los gritos y regaños habituales de cualquier despido de mi vida…, hubo el aplauso de la gente que me vio.

Hace ya dieciséis años y medio desde ese día en que la Fama tocó a su puerta con golpes tímidos. La Fama siempre manda a la Fortuna por delante, para que el que tenga oídos para oír, que oiga, pero los oídos de este fumador no estaban escuchando a donde deberían. Él escuchaba la línea muerta de su celular que ya no le comunicaba trabajos de pintor. No escuchaba el barullo que se hacía de su persona porque no tenía acceso a internet. Sin embargo, seguía formando figuras en su habitación mientras se reclinaba en su cama y trataba de entender al humo, tan inasible, tan falto de peso, tan imposible de dominar a perfección.

El entrevistador hace una pausa después de escuchar la historia perfectamente memorizada de su interlocutor; lo ve encender un cigarro acunando la llama con el mismo tiento que una madre acuna a un bebé y aspirar y expirar en un suspiro que parece enamorado.

—Ése es el germen de su arte, ¿o no? El soplo. Ese soplo que hace vibrar la máscara del artista, *personare*, cuya carga etimológica nos remite al teatro griego y, por extensión, al resto de las artes escénicas.

—Me permito discrepar. El germen de mi arte no es el soplo, es la llama. Fumo complacido, porque con el humo puedo crear, pero sin la llama no se crea el humo. A la llama la cuido en cuanto arranco con el esmeril un trozo del pedernal. Cuido al encendedor como un pintor a sus pinceles porque ahí es donde la creación empieza. Alimento al encendedor con constante gasolina blanca y cuido que siempre tenga una piedra sin mucho uso. Si acaso llega a fallarme y no enciende a la primera, no comienzo a fumar ese cigarro y tomo otro y otro hasta que un cigarro comience con un buen golpe de piedra porque ahí surge la llama, en el dolor del pedernal que muere un poco al dar la chispa que inflamará el aire que es mi lienzo, como el humo sería mis colores y las paredes la pintura base.

Quien lo oye por primera vez lo toma por charlatán, eso es muy cierto. Además, parece imposible que un hombre maduro, evidentemente culto y de buen entendimiento, que se ha criado en un mundo que idolatra la salud, trate con tanta devoción un vicio demoledor que ya mismo le quita la vida.

El encendedor, la gasolina, el esmeril no son lo único que trata con exceso de cuidado. Invierte días revisando los lugares en que hará las demostraciones de su arte. Revisa palmo a palmo las dimensiones de los cubículos cerrados para asegurarse de que han sido trazadas con exactitud; con ese mismo escrutinio minucioso, hace que pasen por su revisión personal los materiales, la iluminación, los cigarros que han de utilizarse. Conocedor de su oficio, sabe perfectamente cuáles son las cantidades ideales a mezclar en el cigarro de tabaco oscuro, mezcla americana, puros cuando la ocasión lo ha ameritado, pipas en sólo dos ocasiones que casi le cuestan la carrera y sistemas de ventilación que aseguran que el oxígeno circule, pero no afecte más de lo previsto a la densidad del aire en la atmósfera enrarecida que crea cada vez para hacer posibles sus malabares con las bocanadas de tabaco.

Antes de que su función dé inicio, es celosísimo en la preparación de estos ambientes. Sólo su equipo de confianza puede preparar el lugar y sólo él puede enrarecer el aire.

—El proceso creativo comienza desde ahí —continúa—. En cuanto he dado la primera bocanada, ya puedo intuir que algo se está creando. A veces tarda en llegar la inspiración, pero para eso existe la preparación. Ensayo diariamente y sólo Dios sabe cuánto he estudiado acerca de los fluidos, el aire, su química y física, matemáticas y otras ciencias exactas para robarle instantes a la inspiración cuando siento que me ha abandonado, pero al final, todo termina siendo más visceral y menos geométrico de lo que yo quisiera. Pienso cada figura, planeo, ensayo hasta la extenuación, pero no importa lo que haga, sigo siendo un hombre que empuja el aire desde sus pulmones hacia un cielo repujado sobre mí que intento llenar con desesperación.

—Esta desesperación alarma a la opinión pública. Es imposible que su arte lo lleve a una vida larga. Esto es un hecho médico que confirman sus tumores, su piel, el poco cabello amarillo que le queda, la carencia de sus dientes. Ha habido repetidos intentos de impedir sus presentaciones, algunos con éxito, pues se dice que no ha habido mejor ni peor propaganda para el vicio del tabaco que su vida.

—Y sin embargo es todo lo que sé hacer. He sido cajero, mecánico auxiliar, vendedor de puerta en puerta, pintor de brocha gorda, pero en todos esos días de trabajo nunca encontré algo que hiciera tanto bien como esto. Mi arte me está matando, pero en los días que pienso en dejar de fumar, el temblor de manos, las jaquecas imposibles y la sensación del ahogamiento me recuerdan que no hay otra cosa que pueda hacer, no importa que la pueda practicar por poco tiempo. Cada vez que he intentado dejarlo, fracaso. Entonces enciendo un cigarrillo y vuelvo a sentirme como hace más de diecisiete años en mi habitación de desempleado, cuando mataba el tiempo fumando en espera de que un trabajo me ayudara con la renta y la comida. Cerraba las puertas para que el humo no molestara a los vecinos y de pronto notaba que cada exhalación, cada movimiento de cada parte de mi cuerpo repercutía en la más mínima partícula de humo que me envolvía con su textura de argamasa fresca. Miraba al techo y creía haber expulsado una espada o un hombre de nieve, ahora sé que lo hice y que puedo hacer mejores formas, sin importar que en cuanto llegan a formarse ya se están desdibujando y se vuelven parte de esa densa nube azul hacia la cual van a volar las otras esculturas que impulsé con mi boca y suavicé con mis dedos o cabeza o pies. No lo entendí hasta muchos años después, pero yo mismo era una parte de cada una de mis esculturas y una parte de mí muere cada vez que he creado desde entonces.

Hace un momento usted mencionó las artes escénicas. Acerca de si esto es o no es escénico, no estoy seguro aún. Es fugaz, como la vida misma, y requiere de un espacio físico y un público inmediato. En ese aspecto es como el teatro, porque mis esculturas no duran más de dos segundos, pero entonces también está todo el material que se acumuló en el sitio web, con o sin mi autorización, están las participaciones en cortometrajes, las sesiones de fotografías. Arte que nutre al arte. No sé si lo que hago es esencialmente escénico y fugaz o si su posibilidad de almacenarse lo volverá perdurable. Quisiera pensar en la perdurabilidad, pero no creo que eso exista para el hombre de ningún modo.

Su sitio web se formó sin su consentimiento. Un amigo suyo, aficionado cibernauta y fotógrafo *avant-garde*, supo del incidente del local en un foro de rarezas en el que un desocupado cargó un video tomado con el celular. El amigo prometió al mundo virtual conseguir más videos y le compró al fumador diez cajetillas de cigarros, siempre que se las fumara para crear figuras y lo dejara grabar las creaciones. Improvisaron un cuarto oscuro, iluminación y alguna ventilación para empezar con las esculturas y así nació la página web. Con los meses, había ingresos, patrocinadores de otros sitios de internet que buscaban propaganda. Había cambios en la iluminación, mucho ensayo, colores de fondo que variaban según la escultura, que nunca abandonaba su color de añil blanqueado. El amigo comenzó a jugar con el editor de video y ahí se acabó el acuerdo.

«La tecnología abre puertas que siempre se consideraron cerradas, expande la realidad, la recrea, la hace explotar más allá de sus límites. Donde él creaba un tigre, yo podía hacerlo rugir; donde él formaba un niño y un balón, yo los hacía jugar. El mediocre purista que es él no quiso entender esto, porque tiene la cabeza llena de humo». Ésa fue la declaración del amigo cuando se le preguntó por su separación del artista por razones ideológicas.

—Nunca he creído en la manipulación por medios electrónicos de lo que hago. Esculpo en cada bocanada, en cada cambio de posición, pues tengo que nadar a través de mi propio humo para moldearlo con todo mi cuerpo. Esculpo desde que escojo los acabados de las paredes, la intensidad de las lámparas, la disposición de los espectadores, desde que encendí mi primer cigarro y aún antes. Mis esculturas son lo que son porque así es como las puedo crear, sólo por azar escapan a mis límites. Si alguien quiere humo libre de olores, que encienda su computadora. Si usted quiere ver efectos especiales, rente una película de acción.

Pero cuando acabó el acuerdo empezó el patrocinio. La más grande marca de cigarros le deslizó un cheque por debajo de la puerta con la única petición de que utilizara tan sólo sus cigarros para los siguientes eventos de internet y algunos eventos de la propia compañía en donde se lanzaban nuevas marcas, se afianzaba la imagen de la tabacalera, se hacían conciertos después de la presentación del impensable artista y se festejaba el simple gusto del tabaco. La tabacalera, por supuesto, se ha retractado de cualquier nexo con el artista y estas prácticas ya forman parte de un pasado de mercadotecnias que han sido prohibidas por la ley. Sobre el cheque (o efectivo, o especie) nunca se ha hablado con claridad. Sobre su participación en los eventos se han emitido disculpas públicas y campañas para la reducción del consumo del tabaco, tratando de limpiar la imagen de la compañía, pero todo esto ocurrió hasta después de que artista y marca se encontraran identificados como una pareja natural en la mente del público.

El artista jamás se ha sentido comprometido por aceptar el patrocinio: «Son la única marca que siempre he fumado», fue su única respuesta. La tabacalera, por su parte, recibió agresiones, insultos, pero nunca una demanda. El único que tal vez tenía derecho a formularla tenía la cabeza llena de humo y de figuras en las que ya se adivinaban dragones escupiendo fuego y olas rompiendo su viaje marino en playas azules de neblina entre suspendidas partículas de alquitrán.

—Antes de concluir, ¿qué puede anticipar sobre su siguiente creación?

—Será la única que se recuerde siempre. Lo que hago no puede perdurar, lo he dicho ya, pero quien vea mi última presentación, no la olvidará jamás ni necesitará de un video o una fotografía para recordarla y recordarme.

Clava los ojos amarillo-rojo-miel en la lente de la cámara mientras el humo escapa como una raya de gis del cigarro que sostiene con sus manos de piel pálida, coloreada sólo por manchas cancerosas y un tizne amarillento que lo baña todo. Se hace un silencio en el estudio y el entrevistador despide a la audiencia. El artista sigue apuntando la mirada hacia la cámara, pero ahora su vista está más allá. Está en el futuro, en su obra venidera, en su inmortalidad, su gloria, la perfección de su arte hasta donde dan sus posibilidades.

Su mirada está en el humo.

Tres días tardaron los preparativos a puerta cerrada. El equipo revisó con cuidado cada uno de los elementos que conformarían el lugar. El teatro tuvo que soportar los caprichos del autor, que a cada queja lanzaba una humareda de dinero que se dispersaba junto con las dudas y temores de la producción y las autoridades teatrales. Durante semanas, el ayuntamiento había tratado de cancelar el espectáculo, pero sólo pudo aplicar una multa que levantó una oleada de indignación entre la comunidad artística, tanto los que lo apoyaban como los que lo reprobaban. «Libertad creativa», por lo menos eso merecía. Cuando ya no hubo traba alguna desde el punto de vista burocrático, comenzaron los preparativos a puerta cerrada.

En tan sólo un día, se montó el espacio para el creador: un habitáculo todo de cristal de dimensiones más pequeñas que cualquiera de los anteriores. En su interior cabía el creador sentado al centro, en posición de flor de loto, como siempre iniciaba, y hacia izquierda y derecha había no más de medio metro de distancia. La altura total de la construcción de transparencia de fantasía era de dos metros con diez. Era todo lo que se sabía. De la escultura que coronaría la noche, ni los integrantes más allegados y antiguos del equipo pudieron hablar, pues nadie sabía nada.

Al anochecer del día en que el escenario estuvo preparado, el autor se internó en el habitáculo y encendió el primer cigarrillo mientras ponía en *on* el sistema de ventilación ubicado justo detrás de él para evitar cualquier contaminación de la imagen. El teatro se quedó vacío y sólo él quedó en el proscenio desnudo, fumando durante las siguientes dos jornadas.

Cuando la gente comenzó a ocupar sus asientos el día de la función, se felicitaron mutuamente por haber ganado de forma gratuita las entradas al evento sin igual. Ni una sola entrada fue vendida, todas fueron obsequiadas en el nuevo sitio del autor, donde no había videos ni imágenes manipuladas, y cada persona llegó al lugar del evento por sus propios medios. Una pregunta bien contestada que a veces no tenía relación alguna con el fumador, el tabaco o el arte equivalía a un boleto electrónico que se entregaba y se confirmaba unos días después. Se repartieron boletos en un número que sobrepasaba la capacidad del teatro con toda la intención de tener un lleno total a pesar de que muchos no asistieran. El arte tiende a alejar a la gente en el último momento. Cuando llegó el día, se consiguió el lleno total que se esperaba. Mochileros de aquí y de allá, hombres de negocios, artistas como él y muy distintos, cibernautas curiosos y un representante, por lo menos, de cada grupo de personas que se puede identificar como tal. Todos se sentían elegidos y partícipes de la obra singular.

Una manta negra cubría el pequeño palacio de cristal y, a la hora señalada, con la gente expectante y en un silencio que bullía, la manta fue retirada de un tirón firme y veloz por uno de los asistentes.

El humo era tan denso que el autor no se vislumbraba por ningún lado. Un minuto tardó la angustia de los que veían aquella escena, temerosos de haber sido timados por mala propaganda o un arrebato de creatividad no comprendida.

El aire se empezó a limpiar de pronto y apareció el artista en flor de loto y en perfecta concentración. El humo, todo el humo, era aspirado por esos pulmones marchitos que los años habían entrenado y cuando el último resquicio de fluido entró en ellos, cuando el aire del habitáculo estuvo completamente transparente, comenzó la tiza azul sin peso a verterse por las comisuras de los labios y los poros de la nariz. En una danza suave de movimientos de cabeza y hombros, el autor dejó salir el humo, hizo maleable el aire, volvió plástico lo etéreo y una figura se formó por encima de su cabeza. El autor, todo vestido de blanco, dejó que la gente se preguntara, se maravillara, se hiciera uno en la contemplación de sus exhalaciones y presenciara lo imposible. El humo, el humo fugaz, el humo que se mueve a través del aire y que baila y hace cabriolas y espirales o algodones cianóticos no fue más humo danzarín y en movimiento, no fue más una figura en formación que se desbarata en cuanto llega a tomar forma. El autor le robó el cuerpo al aire, al humo, a su persona, y duplicó su ser por sobre su cabeza, se repitió a sí mismo, se convirtió obra y creador. Dos figuras, creación y creado, uno encima del otro, reposaron enteros contemplados por la multitud extasiada que gritaba, aplaudía, silbaba, se entregaba en ovación de pie. Creador y criatura en reposo, dualidad infinita, los contemplaban a pesar de los ojos cerrados de uno o inexistentes del otro desde el interior de la mazmorra de paredes transparentes, blanco el uno como el lienzo o la hoja de papel que invitan a crear, azul el otro como el arte cuando es belleza.

Terminaron los aplausos, los silbidos. La gente tomó asiento sobrecogida por la visión que no tuvo preámbulo. El aire dejó de vibrar impulsado por la ovación y, uno a uno, los que fueron a ver el espectáculo salieron por las puertas en silencio y actitud de duelo.

Los que no estuvieron presentes no entendieron, pero los que no estuvieron presentes no tuvieron esa conexión con el autor que les dio su última creación. Los asistentes dejaron la creación intacta por varias horas más, durante las cuales se sentaron tras bambalinas sin querer tocarla. El teatro en silencio quedó como cuando el artista se metió por primera y última vez en el habitáculo que, entonces, lo contenía a él solamente y ahora también a su doble.

Cuando a la gente se le preguntó por qué había abandonado el lugar en tan corto tiempo, en tan completo orden y en una actitud tan serena, no hubo un alma que no diera una respuesta similar. «El maestro murió», «Dejó la vida en el escenario», «Entregó su alma al aire», «Triunfó».

Sobre los comentarios que hubo acerca de aquello después, no hay mucho que decir. ¿Qué pasa cuando alguien se muere en pleno ejercicio de su vocación? La gente hace alharaca, eso es todo. Con la muerte de una persona, las opiniones de su vida y obra se reafirman y radicalizan, sin embargo, todo se cubre de un ligero matiz de comprensión y de perdón público. Esto que es la memoria pública, a pesar de todo, es otra de las cosas que se asemeja al arte de esculpir con humo porque, al igual que las figuras que bailan en el aire o los autores que se entregan a su creación, todo se disuelve lentamente cuando el viento se calma y, aún la mejor figura, se desvanece y se olvida.

Buscar, buscar

Nerich Yaa vio a Ramuk correr detrás de la espuma. Lo vio saltar entre las olas y perderse. Con las hojas aún frescas de una palma, Nerich Yaa acarició la arena hasta volverla el manto sobre el que arroparía a su hijo mientras lo viera masticar la fruta y la escuchara contar historias sobre el origen aún fresco de la tierra firme. Nerich Yaa acarició la arena, pero Ramuk no estaba ya. Nerich Yaa maldijo al mar, a los vientos, a los encantadores rayos del sol que hacen del agua ojos destellantes; maldijo al juego de las olas que por debajo amasan todas las motas de polvo que han flotado desde el Despertar hasta volverse arena y que por arriba forman la espuma que seduce y que se escapa. Arrojó la fruta fuera de la canasta que ella misma trenzó y la cargó sobre su espalda para traer de vuelta a su hijo, tan pequeño aún. Se arrojó al agua batiendo los brazos, cubriéndose los ojos con lágrimas oleicas que aún la sal de la mar no pudo traspasar. Inmortal, desesperada y maldita desde entonces por haber renegado contra las fuerzas a las que ningún mortal debía desafiar con sus blasfemias, Nerich Yaa nadó, viajó y viajó buscando a su Ramuk por arrecifes, por corrientes, por praderas marinas que laceraban la mirada con los primeros colores del mundo, por desiertos oscuros y helados, las primeras tumbas de roca, agua y sal.

Cada año, durante siglos, volvió a la misma playa, apisonó la misma arena que ocultaba brillos prehistóricos que reverberaban a la luz argentina de la luna y esperó a Ramuk por una noche, pero no lo vio volver jamás.

El corazón tierno de los Formadores se conmovió al verla vagar tan sola por el mar vuelta una con la cesta a sus espaldas, volviéndose más marina a cada legua, y se preguntaron sobre la dureza del castigo. Para apaciguar su corazón de madre, le infundieron la preñez de veinte retoñitos de su estirpe nueva envueltos en capullos dentro de su vientre. Ella volvió a la playa al sentir la vida en sus entrañas y enterró a sus hijos en la arena para que la espuma no los invitara a jugar y a extraviarse en las vastedades del mar. Luego volvió al agua a buscar a Ramuk, nunca cesó, aunque ya había olvidado su voz infante y los contornos de su cara.

Atraída por la espuma, vi a una de las descendientes de Nerich Yaa encontrar la playa a través de la insondable oscuridad del mar y recibí en mis manos sus capullos húmedos, vida nueva, mientras la veía llorar a lágrima viva y acurrucar a sus hijitos con el doloroso amor que sólo una madre que ha perdido a un hijo tiene para los nuevos. Dejó su cuerpo extenuado sobre la arena que cubrió a sus pequeñas crías y otra vez la arena fue el manto que acurruca al hijo, lo protege. Se alejó, sin embargo, porque a través de los eones, de miles de giros lunares, la esperanza de Nerich Yaa por encontrar al pequeño Ramuk sigue viva desafiando las razones y mezclándose con los instintos que ha pasado a su progenie, ajena a la voluntad divina de vivir en paz.

Ramuk se volvió espuma, pero su madre nunca lo supo. La acarició cuando saltó al mar y trató de susurrarle la alegría de su nueva forma, pero Nerich Yaa no percibió a su hijo fundido con el mundo. Ahora Ramuk disfruta, como niño, deslizarse sobre la piel rugosa de las herederas de su madre y suavizar las caídas y las volteretas de sus hermanitos cuando vuelven a la mar aún guiados por la herencia de ese impulso prenatal, precorporal, de buscar, buscar, no encontrar y seguir buscando.

Batintín el Cantarrecio,
Miguelito el molinero

El juglar nunca nos dijo por qué Batintín era un hombre descomunal y sus brazos alcanzaban a levantar al buey más fuerte de la yunta de su padre. Tampoco nos dijo por qué su apetito voraz lo hacía criar conejos y gallinas por centenares, ni explicó jamás si podían herirlo o no. Nosotros nos sentábamos alrededor del juglar cada vez que la misa terminaba. Corríamos a espaldas del párroco hasta el lugar más escondido de la plaza para escuchar a Jonasillo contar aventuras descabelladas y cuentos exóticos importados desde tierras lejanas. Le decían Jonasillo a ese juglar un poco infame, cuyo nombre bíblico y cantarín remitía a periplos a través de mares olvidados. Su nombre sonaba a viajes en vientres de monstruos leviatánicos como ningún mercader de las tierras de la provincia, reseca a fuerza de vientos y sedienta merced a los truhanes, escuchó hablar a los marineros que llegaban por acá: hombres vueltos rudos con las furias de altamar y con cuerpos convertidos en cartografías de sus aventuras explicadas en tinta sobre piel salada y dura.

El día después de la Pascua estuve presto a viajar y ver el mundo, refutar los cuentos de Jonasillo o encontrarme con las reminiscencias de sus personajes en los sitios donde tal vez caminaron, pero la madre y sus súplicas me lo impidieron, «¡Aún eres un niño!», «¡Tu padre te necesita tanto, enfermo como está!», y vuelve a picar la piedra que te tocó moler, de regreso al molino a sustituir al padre y a enmascararme con polvos de trigo como Jonasillo cantó alguna vez que hacían las mujeres de la Isla Amarilla con finísimos polvos de arroz que olían a deseo. Esa tarde, el párroco se apareció y lo censuró con un cordonazo como dicen que san Francisco aparecido da a aquellos que deambulan por las ruinas de su templo. Jonasillo recogió sus rollos de papel y desapareció algún tiempo, pero pronto regresó a hablarnos de viajes, de historias, de Batintín…

Batintín, cantaba Jonasillo en versos rítmicos, tuvo su nombre merced a un juego de palabras que empezaron con *batintín*, el disco de metal, cuando era niño, y terminaron con *batán*, cuando se volvió guerrero, porque sus manazas empuñadas, como los batanes, podía golpear sin demostrar cansancio por horas y horas como si estuvieran impulsadas por el flujo de los ríos o de los canales de agua. Le decían Cantarrecio, pues en los coros que alababan al Señor su voz de trueno acallaba las del resto de los feligreses con sus estertores de volcán o calamidad natural que jamás atinaba una nota ni seguía cadencia en ninguna melodía. Fue el uso de un batintín lo único que logró cerrar la boca de caverna del infante. Sólo el tintineo del metal acaparó la simplicidad de su mente boba dejándolo en un limbo de ensoñaciones que le impedía cantar. Siendo Batintín un jovenzuelo y no teniendo todavía vocación guerrera, tañía su disco de metal cada vez que el pueblo así lo requería e igual llamaba al catecismo como a la asamblea y hete aquí que un día en que la gente se reunía en la plaza a escuchar algún decreto se le cruza un borrachazo y pretende solazarse con la jamona de su hermana, la de Batintín, cuando al Cantarrecio se le sube la sangre al seso y salta sobre el indecente y, golpe tras golpe, abatana la cara del desgraciado en una mezcla de carne machucada y sangre que lo vuelven irreconocible.

Ahí se descubrió la vocación guerrera de Batintín. ¡Qué giro del destino, Cantarrecio! ¡No más escuela para ti! Aficionado como era a las proezas de su cuerpo y desgraciado de las luces de la mente, Batintín aún con doce agostos cursaba los estudios de los niños de la mitad de su edad sin tener éxito, pero ya podía hacer las faenas de un hombre que ésa misma le doblara. Yo así quisiera como Batintín correr mi suerte en las milicias, luchar contra bandidos, educarme teniendo como única instrucción el arte de la guerra, pero es perra mi suerte que aún no me pinta el bigote como a otros niños y soy tan debilucho y quedo que me bebo a solas los libritos de mi abuelo, los misales de mi madre y alguno que otro tomo que el párroco esconde en su bibliotequilla; «Para cuidar a mi rebaño de las acechanzas del Maligno», dice. Llega de lejos el ropavejero haciendo trueques con objetos nuevos y ahí mismo sale a requisar cuanto libro incluya la palabra *seno* sin connotar aquel donde se guardan las desgracias, o que explique cómo se preñan las mujeres imaginando que su grey amada, campesinos, molineros, comerciantes, matarifes y demás, es tan estúpida que nunca ha entendido que como se monta el toro sobre la vaca, se monta igual el cacique sobre la paisana.

Por eso nos gustaba Jonasillo, porque nos contaba lo que otros escondían. Los mercados se anegaban los domingos después de misa con madres haciendo las compras y con mercaderes vendiendo y gritando. Yo cargaba sobre mis espaldas los bultos de mi madre y ella me agobiaba con habladurías sobre los precios, sobre la enfermedad del padre, mientras yo me impacientaba por correr adonde el

Panderete Jonasillo ya nos preparaba la función, y así iniciaba nuestro pleito eterno, «Eres un loco, vuelve pronto a casa. ¡No tardes que tu padre quiere verte a ti antes que al doctor!», yo no dejaba de correr y oía a la madre lejos, lejos, pero al Jonasillo cerca, cerca.

Proeza uno punto y guión, como en la escuela: con una sola mano, Batintín exprimió hasta la última gota de sangre a una serpiente horrenda que mordía en los talones a todas las niñas que intentaban pisarla mientras se bañaban junto al río. Nadie reclamó a Batintín su cercanía al lugar del baño pues se cuenta que él había acudido sólo llamado por los llantos de las nínfulas, pero se reía Jonasillo y bien sabía yo que habría alguna Lilia por ahí, digo ese nombre por ser el más bello que conozco y que corresponde igual a la cara más hermosa, la voz de mejores melodías y la cabellera de más áureos rulos que habrase visto jamás. Y es que sí había una Lilia, pero se llamaba Albacia y Batintín temblaba sin fuerzas cuando la veía y perdía su ímpetu de *berserker* cuando ella recitaba la poesía completa de los Inmortales, de los Sabios, los Dorados, nombres todos que significaban nada más que alta sapiencia para él, forzudo analfabeta que caminaba por la vida sin esforzarse en comprender que una bola y palito hacen una *a* y que suena igual que el más elemental sonido de la comprensión «¡Ah!». Fue Albacia la única que no se cubrió inmediatamente cuando Batintín apareció en la escena de las bañistas con su mano salvadora y un pacto se firmó con cuatro ojos ardiendo como brasas. ¿Así se forman los pactos entre hombres y mujeres? ¿Así se promete el amor?

Ya entrado en la madurez, cuando Batintín había desmembrado al León de la Montaña, escarmentado a Robertico el Salteador y a su banda de maleantes y abierto los caminos al ejército del rey, se llegó al pueblo la noticia de que Cástulo el Quinto Gigante había sentado sus reales en el lindero norte de aquel reino y venía hecho de una fama que a cualquier enamorado asustaría. Jonasillo interrumpía el cuento, cazaba la mirada del párroco entre la gente. Proseguía. Hablaba la reputación de Cástulo de que estaba presto a secuestrar a cualquier bella doncella que aún se ostentara sin defectos para llevarla a su castillo hecho de piedras de volcán talladas con sus propias manos. Presto estuvo Batintín para lanzarse sobre la abominación y en quítame acá esas pajas se llegó hasta una cueva que ocultaba al malhechor. Jonasillo contó a todos que estuvieron destrozándose a trompadas durante ocho días con sus noches y atronaban tanto los golpazos que se daban que salían de las copas de los árboles aún las urracas más añosas como si éstos fueran sacudidos fuertemente desde el tronco. Terminó el cuento Jonasillo diciendo que el Gigante falleció ante la paliza y que el impulso secreto de Batintín fue el de cuidar a su Albacia. Dijo a todos que en cuanto mató al titán, Batintín volvió a su pueblo y tan sólo pidió por recompensa la mano de la dueña de sus noches de vigilia, que le fue otorgada, y venga para todos el final feliz, las nupcias, la riqueza y hasta ahí. El juglar cogió sus cosas y el párroco volvió a la iglesia. ¡Qué perrada que así se terminara todo! Me enfurruñé y le fruncía el cejo en forma tal al bardo que cuando se dispersó la chiquillada él me miraba aún mientras hacía su atado para seguir viajando y embaucando, caminaba en torno de él, le hacía preguntas sobre la derrota del Gigante y sobre la suerte de nuestro héroe. Él apenas contestaba, pero ¡ah, que no sabía yo lo mucho que le pesó mi ojo recriminador! Me preguntó si el cuento no me había gustado. Me negué, me deshice en reproches y él rebuscó en la bolsa que cargaba siempre. «Lee esto sin que el párroco te vea, ha viajado incluso más que yo», me dijo y me entregó unos rollos de pergamino atados con una correilla de piel.

¡A dormir censuradores! ¡Canta, oh, musa, los periplos del olvidado Batintín! Llegaba yo en pedazos del molino, medio ciego de cernir harinas y llorar en secreto por el cuerpo desmoronado del papá, y aún tenía vida en mis brazos desguanzados a fuerza de acarrear bultos para encender una vela fuera de la casa, lejos de miradas indiscretas de mamá y de los hermanos pequeñitos que me pedían el pan a mí, ¡a mí! En pergaminos alternados el original contra la traducción, leí en caligrafía de elegancia mujeril sobre cómo Batintín llegó a la cueva del lindero norte, desde luego, pero llevado por embustes del rey que lo había apadrinado en su carrera a la celebridad. Primero era todo «Mata a aquél, destruye a aquéllos; no veas a Albacia en la plaza los domingos, las lindas sólo quieren a los ricos, espera ya te pago, te lo guardo y aquí conmigo espera tu tesoro», pero que Albacia y Batintín se veían desde un lado al otro de la plaza, que los mercaderes se sorprendían de que el Cantarrecio les solucionara las disputas razonando como niño y de que la amada se las sostuviera argumentando como magistrado. El viento cambió y se le agitaron los mares a Batintín, pero lento de cabeza como era e incapaz de poner la *n* tras la *o* puso la marca ardiente de su anillo en el pergamino que confesaba cien mil crímenes pensando que le aceptaba una hacienda al rey. Pero eso sí, la última y nos vamos, «Cástulo les arranca la virtud con su descomunal… naturaleza, Batintín, tú sabes que eso hace, y luego las devora, por eso no vuelven jamás». Batintín atravesó bosques hechizados y saltó fosas que tenían entradas accesorias al infierno mientras el pueblo se preguntaba por

41

su ausencia y los soldados de la corte fluían por las calles como hormigas furibundas. Algunos dignatarios habían firmado un pliego en que se pedía la abdicación del rey y habían gritado, «¡Que vuelva Batintín! ¡Que nos gobierne Batintín!», y el monarca, «¡Es un bruto!», «¡Pero es justo y la que será su reina es aún más sabia que tu corte entera!». Gritos, sangre, revolución. Albacia corrió a esconderse bajo tierra en cuanto vio aquel zafarrancho ensangrentado y con paciencia, alta técnica y equipo de minería fabricado por sus dulces manos y su cabeza prodigiosa llenó de túneles las vísceras de cal y piedra de la capital del reino, y vagó y vagó por ellos hasta que el monarca se convenció de que ella había seguido a Batintín y no volvería jamás.

Interrumpía el cuento al no sentir miradas indiscretas, me asustaba, me ponía de pie de un salto. Corría como un loco hacia la pradera y cuando volteaba la cabeza y veía que mamá no desaparecía del chiquero afuera de casa gritándome con voz quebrada «¡El cura te parta las espaldas! ¡Mi hijo mayor me salió vago!», pero yo le respondía, «¡El perro del molino me ha seguido, deja que lo corra a puntapiés de vuelta a su lugar!», y ella no me creía nada, me vigilaba más y más. «¿Dónde los tienes?», me preguntaba cuando yo volvía y me zarandeaba en busca de los folios como si fuera uno de los pequeños, pero nunca los traía conmigo. Dejaba los pergaminos mal atados cerca del molino, bajo piedras, enterrados en cualquier lugar donde imaginaba que nadie sino yo sabría buscarlos, y mi madre se enjugaba las gotitas que le regaban los carrillos, yo pensando que sufría tormentos de santa Mónica, pero es que enviudaba lentamente y se aguantaba las ganas de llorar como el padre se aguantaba a seguirle las invitaciones a la Muerte. Y como el párroco persiguiera alguna vez a Jonasillo, así también fue tras de mí.

«Jonasillo usaba un tamborcito, un panderete, y siempre viajaba con una bolsa de contar historias en la que se guardaba una utilería prodigiosa para aderezar los únicos diez cuentos que sabía: horrendas máscaras de lobos, colmillos marfilados de dragones, zarpas oscuras de tigres, sombreros putiagudos de brujas, objetos innombrables que mentía haber traído de países desconocidos, pirotecnia inverosímil del Lejano Oriente, y sólo dios sabía qué más, pues el morral parecía nunca vaciarse. Le decían el Panderete porque con uno de ellos marcaba el ritmo de los versos que cantaba hasta que un día una mujer marina de piel morena y ojos avellana le robó la bolsa y el tambor pero, dicen, le regaló cien mil historias. Desde entonces a la fecha Jonasillo se pasea con un una bolsa diferente y pergaminos que nunca nadie ve, porque son prosas profanas y versos insuflados por alientos demoníacos». El párroco me hablaba cansado ya de azotarme las espaldas después de que negué la existencia de pecado obsceno alguno en confesión y de que la madre me acusara de leer textos oscuros. Con la espalda aún viva como una granada partida en dos, me revolvía en mi agitación ese domingo y los demás porque después de la iglesia no había juglar que cantara y los niños se dedicaban a insultarse y a correr unos tras de los otros y a pelear. Yo me regresaba al campo atrás del molino y me entregaba a la caligrafía femenina de los pergaminos que sacaba, leía a prisas y volvía esconder siempre en un agujero diferente cada vez. Al día siguiente, tenía que buscarlos como poseso desmemoriado para continuar leyendo que Batintín se había encontrado a Cástulo finalmente y me guardaba inquieto mi secreto, riendo bajo la faz en calma de los juicios inquisidores que el padre hacía sobre el herético Jonasillo.

Cástulo no era el Quinto Gigante sino el Gigante Quinto, último de la raza con la misión de aniquilar a los de su tipo contrayendo matrimonio con una mujer normal y consumando el matrimonio para entregar por vía del éxtasis el don de su inmortalidad, pero era tan triste su historia, así lo supo Batintín, que no le era posible hacerlo porque, a pesar de su gigantismo, su hechura en las herramientas de consumación era todo menos sorprendente. Después de que Batintín lo halló, cortando flores para hacerle una guirnalda a su última raptada, se lanzó a golpes sobre él y el titán lo repelía como a una mosca. Al fin Batintín y yo teníamos el sentimiento común de no poder batir al enemigo a golpes, como aquella tarde en que Canuto me machucó con sus manazas y yo resoplaba, arremetía, me extenuaba y mordía el polvo que me sabía a sangre y lágrimas, a humillación de no poder callar la boca del hijo de puta del Canuto: «¿Te decimos "huerfanito" desde ahora o esperamos otro día?». Yo entendía a Batintín, escondía el pergamino y al cabo de los días volvía para seguirlo mientras mi padre se desbarataba como terrones de tierra seca y mi madre se me aguaba viva a fuerza de llorar sin poder refrescar ni un poco a mi padre. Yo me molía como burro en el molino y aún si tuviera vocación de aventurero al final del día sólo me quedaban fuerzas para tenderme sobre la frescura del campo a leer patrañas destinadas a morir por el fuego y rumiar las palabras que narraban hazañas que por ser fantásticas no hacía falta creer, sólo montarlas como esteras voladoras y viajar.

Nada podía la furia de los puños del héroe de la historia, pero era fuerte la soledad del villano que lo invitó a cenar a su castillo. Batintín aceptó y se montó a lomos del gigante y en tres saltos kilométricos se encontró en una morada toda de cristales purísimos y centenares de damas de hermosura inconmensurable vagando en libertad de adolescentes por las mil habitaciones del palacio. «No se puede, al final no puedo, mi tamaño hace que mi reputación preceda a mi persona, pero nada tiene mi intimidad de deslumbrante. Aún así, el matrimonio es sagrado y aún sin consumar con mis esposas les debo la manutención y la vida holgada de una herencia de cuatrocientos gigantes fenecidos ya en lechos de mortal después de vidas de familia. Ellas no se inquietan pues se han hallado hermanas y madres e hijas sustitutas. Me ven como el abuelo, un proveedor dulce incapaz de arrancarles la virtud que, lo he aprendido, le importa más a los hidalgos que a las doncellas». Batintín se ahogaba en la risa y compartía veladas etílicas con el Gigante, «Hazte ministro religioso, cuando la carne te prohíban, por probarla, saltarás cualquier obstáculo». El Gigante sonrió.

Batintín volvió a pie a su casa, feliz entre los campos, nadando en las lagunas, construyendo casas a su paso, segando campos enteros de un solo golpe de guadaña durante las cosechas, con el anillo matrimonial de la raza de gigantes en la bolsa, listo para entregarlo a Albacia en cuanto llegara a su ciudad en la que mil guardias armados lo detuvieron leyéndole el bando que lo declaraba criminal. Escondió el anillo en un rincón del campo y luego fue hecho preso e informado de que el único modo en que un reo podía exigir su libertad o demandar consejo de abogado era a través de un pliego escrito, lo único que Batintín no podía formular. Su fuerza colosal no lo podía librar de la prisión que se había construido especialmente para él y su mente de iletrado tenía una cárcel aún más terrible, amurallada por conocimientos que le habían sido ocultos desde siempre.

Treinta años gastó Batintín arrastrando seiscientas plumas de gallina, gastando mil novecientos kilos de papel y un incontable mar de tinta en sus esfuerzos por lograr un pliego escrito desgranándose el alma y cuerpo por intuir lo que debió haber aprendido. Treinta días gasté yo a la espera de Jonasillo, el Panderete, hasta que Michel Le Racounteur cubrió el espacio vacío en la plaza y lo inundó con sus cantos nuevos de reyes decapitados e historias de gobiernos con repúblicas. Habría podido maravillarme de su facha, enamorarme de su acento desmedido y gutural pero ya era más curioso que inocente. Antes de partir le pregunté por Jonasillo y respondió sin levantar la cara «Lo han quemado vivo», «Pero no hacía más que contar historias que no escribió», «Es suficiente».

Triste por la condena de Jonás, leía la condena de Batintín que se antojaba el más cruel de los castigos: encarcelado y sentenciado a encorvarse sobre un escritorio con las patas desiguales a llenar hojas y hojas inútiles que se archivaban en pilas inmensas en un galerón que nadie visitaba más que Albacia, pero el forzudo enamorado lo desconocía. Madre llamaba para cenar pero yo masticaba sin gusto y a escondidas harina hurtada a puños y le decía «Que coman los pequeños, no tengo hambre», y ella me agradecía que un día más hubiera alcanzado la comida para todos. Vuelta loca por los patrones manuscritos que el Cantarrecio repetía hasta la demencia, Albacia llevó las dos cajas más recientes a un sabio de Alejandría que viajaba por el reino. «Es una imitación burda de las grafías básicas presánscritas. Falsificación de un aficionado, si no me equivoco, o petulancia de un imberbe: papel para envolver pescado». De las barbas arrastró Albacia al sabio, que blasfemaba colérico, y entró pateando la puerta del palacio hasta donde el rey ya la esperaba, tamborileando nervioso pues las noticias de gobiernos con repúblicas que decapitaban a monarcas sonaban en lugares cada vez más próximos al reino. «El sabio traduce, tu corte responde, tu ley no pide que sea en el idioma del país, sólo que esté escrito». Así salió libre, al fin, Batintín, pero ya no era ningún héroe. Dejó que el rey huyera, vivo y bien, y él se preocupó menos por aclarar detalles de su encierro, y más en retomar la vida que se le interrumpió cuando fue encarcelado sin justicia.

Corrí por el doctor y por el cura ya con los pergaminos en la mano y el rostro endurecido. «¿Por qué me amas?», «¿Por qué estabas junto al remanso?», «Para verte a ti, nada más verte, ¿por qué me amas?», «Porque un hombre tan sencillo no puede ser malo». Un desmemoriado y viejo Batintín removió la tierra y piedras de diez bosques hasta dar con el anillo y la Albacia de intelecto intacto y aguzado con la edad buscó y buscó entre los bosques de papel sembrados por el Cantarrecio hasta que, vuelta una experta en el idioma de su enamorado, dio con poemas hechos en su soledad. Su literatura en un sistema sígnico novísimo tocaba todos los temas, pero sobre todo tocaba a Albacia. Ella, envejecida por la espera y los frenéticos esfuerzos por liberar a su amado, se había vuelto mohosa y quebradiza como las hojas de papel en donde él cantaba amores, recordaba viajes y vituperaba contra el rey. Versos, historias, opiniones. «¿Puedo intuir el mundo frente a una hoja de papel y retratarlo con mis propios signos?», Albacia rejuvenecía con el anillo en la mano y Batintín estaba allí para verla, sólo verla porque en la vejez no hay más éxtasis que el de la contemplación. Enrollé sin cuidado los pergaminos y sujeté fuerte la mano del padre; olí la peste de su muerte sudorosa y recibí a un tiempo el anillo de la casa, las deudas con el patrón y los chillidos de los pequeños.

En el entierro del padre todos tiramos un puño de tierra sobre él. Yo traía bajo el ajuar negro un jirón de los costales del molino anudado con una correilla de piel. De ahí saqué mi puño de finos polvos negros. Mientras cura y médico habían estado cumpliendo su acto rutinario de enterar a la familia de la presencia de la Muerte en la cabecera de la cama, yo sentenciaba al fuego el pergamino con la historia del Batán apretando los dientes después de escupir sobre esas cenizas la memoria vil del Jonasillo que me había invitado al viaje inútil que se hace sobre las letras. Podría haber quemado también la biblioteca entera de la sacristía, los misales de la madre, la escuela con todos los profesores dentro y el molino, pero aún tenía tanto que hacer y había que entregarle el alma al dueño del molino para seguir llevando el pan a los pequeños, también tenía que preparar los cuatro arreos y aparejos que quizás podría vender el domingo próximo, dejar la escuela, cerrar los libros, empuñar las herramientas para exprimirle el oro al hierro.

La mañana antes del entierro desperté temprano. Antes de que el sol saliera, me rompí la espalda tratando de levantar siquiera la yunta de un buey, ya no digamos al buey entero y me comí media gallina viva que me hizo vaciar las vísceras, hecho un mar de arcadas. No me desesperó la derrota y caminé por las veredas todavía húmedas por la única lágrima que Dios lloró con el sereno por mi padre y me asomé a la ventana de Lilia esperando forjar un pacto con las miradas, pero una trompada de su padre me bañó los ojos de lágrimas y las narices de sangre. Aún podría haber buscado a Canuto, intentar sin éxito vengar la afrenta previa, pero el colorín colorado me apuró a abandonar mis empresas y llegué puntual al entierro para despedir al padre. Así llegué a la reunión fúnebre. Absolutamente impuro, niño maculado hasta la médula aunque inacabado, hombre recién parido. Con el puño apretando el anillo de la casa, arrojé las cenizas del pergamino de Batintín al agujero que se comía a mi padre, notando por primera vez que mis manos ya insinuaban surcos y que el gesto se me resecaba. La madre lo notó también porque cuando el viento desperdigó las cenizas que no se tragó el pozo, la vi sonreír mirándome, ya seca como la tierra de su tierra, pálida como la harina del molino. Un pacto formé con ella en esa mirada, el de tomar las riendas del hogar y el de dar fin a mis días de lector.

Tiempos duros

—Mejor lo guardas.

Era amable. Su voz era amable, pero firme en la advertencia.

—Aquí se resguardan activos, información. Mil empresas triple A confían en la seguridad de este consorcio para procesar su información. Un celular es inadmisible. ¿Cómo lo pasaste por Seguridad?

—No sé. Ni siquiera lo escondí. Estaba tan preocupado por la entrevista que fue una de las mil cosas que no se me ocurrieron.

—Ojo, señor, mucho ojo. Un amigo mío trató de pasar un iPod y se lo pescaron en la sala de espera exterior. Perdió la entrevista. Yo no traigo más que un lapicero Bic y un Timex.

—¿De manecillas?

—¡Claro! ¿Quién pide trabajo aquí con un digital?

Sonreí y me volví a quedar callado. «Cabrón alzado». Pero el tiempo pasaba y yo no tenía modo de saber cuánto era. La clepsidra se robaba granos de un contenedor a otro y con cada tic, con cada tac, un granito de impaciencia levantaba un resortín que hacía brincar mis piernas largas. «Piensa, repasa, imagina, no te duermas, note duermas noteduermas…».

Al llegar a la sala de espera exterior, que no era más que una fila de asientos de plástico sobre un solo riel de metal frente a un mueble de recepcionista, una secretaria me sonrió en cuanto entré, en estricto apego a políticas. «Parece hospital, ¡no! Parece juzgado». Le comenté a la muñeca de mostrador sobre mi cita, ella me pidió tomar asiento y perdió sus dedos en clic-clacs arrítmicos que saltaban en camadas de a seis u ocho segundos para detenerse uno o dos y continuar. En mi espera la admiraba de reojo, por encima de un ejemplar de *Fortune* que tomé de algún lugar, esperando voltear a la revista cada vez que ella se sentía incómoda con mi mirada y buscaba mis ojos. Afortunadamente, la revista me cubría las sonrisas y su vista me alejaba del desvelo, me había quitado por un momento esa compulsión por sorber café soluble y aspirar cigarros rojos. «Tengo sueño». Ella vestía un traje sastre gris rata y debajo una blusa guinda en un tono que combinaba con la imitación de cedro rojo de la parte superior del mueble. La parte inferior del mobiliario era de triplay o de aserrín compactado, no importaba. Lo que me importaba era la intención empresarial de armonía cromática que rondaba en la melodía de tonos guindas, rojos, grises…, negro. El pelo de la secretaria-recepcionista-auxiliar era negro igual que los zapatitos puntiagudos que imaginaba cruzándose uno sobre otro por debajo del mueble; negro el marco grueso de los lentes rectangulares, coquetería de falsa intelectualidad, coqueta sobre todo porque es falsa; carmines los labios, pálido el rostro aceitunado como si estuviera deslucido por el exceso de luz artificial. Me miró y sentí el vértigo del borde. «Princesa», pensé, «pero si se lo digo me manda al diablo».

Ella le susurraba al manos libres, mientras yo le lamía los labios con los ojos. Escuchaba sus bocinas canturreando suavecito letras pop, horribles. «En la perfección no hay hermosura, ¿se lo digo?». Nuestro breve encuentro terminó cuando activó la cerradura eléctrica de la puerta de madera frente a la recepción. Me sonrió, me dirigió frases mecanizadas y luego, cuando abrí la puerta para entrar, volteé otra vez para admirarla, sonriendo galante, pero ella ya era una imagen mimetizada en la pared marfil y los tonos del escritorio, ropa, pelo.

Afilado por la emoción breve, «Soñé contigo», me brincaron los detalles de la habitación revelados por la luz epóxica. La sala de espera interior era algo menos pobre. Sobria en toda la decoración, me recordaba películas de abogados con muebles lineales, de un solo tono macizo sin usar más de dos colores para la armonía general. Mesa al centro, dos sillones individuales a los lados, uno apuntando a la puerta por donde entré y otro a una ventana con discretas persianas blanco gris muy tenue, un sillón más con espacio para dos pegado a la pared a mi izquierda y a la derecha: la puerta del entrevistador, de madera también. Algo más: un tipo. De traje igual que yo, pero bastante menos descuidado. «Sharp». Me saludó con la cabeza desde el sillón individual junto a la ventana y me pareció descortés sentarme justo frente a él, más bien me acomodé en el sillón más largo del lado más lejano al tipo.

«Carajo, no hay ni una revista, me voy a dormir». El tipo, inexpresivo, cara para jugar al póquer, «James Bond se hubiera ido de cuernos, a éste no le sangra el ojo», y un tictac que no ubicaba. Me volvía a un lado y otro esperando hallarme un reloj, pero no había más muebles que los que tenía frente a mí ni cosa alguna colgada en la pared. Quise ver mi reloj de pulsera pero me arrepentí. Lo sentía pesado en la muñeca izquierda, inaudible en su fluir digital, sugiriéndome que lo mirara. «Voy a parecer urgido», y el tipo impasible, con la mirada clavada en la puerta por donde entré. Metí la mano en el bolsillo interior izquierdo del saco y sentí el celular. «Hago como que mando un mensaje y checo la hora», y entonces la interrupción, la amenaza, ¿o cortesía? «Mejor lo guardas».

—Calmado, señor, que esta gente no se fía de una entrevista y nada más. Usted sólo ha recibido un aviso telefónico, ¿verdad?

—Sí, ayer mismo me llamaron. Pasé una noche fatal. Me notificaron que había un *e-mail* con cuestionarios que debía responder de inmediato, así que estuve horas y horas frente a la computadora respondiendo cientos de reactivos redundantes que me fatigaban y me hacían dudar de mis respuestas. Al mismo tiempo, revisaba en mi cabeza los requisitos de los archivos adjuntos buscando algo que hubiera pasado por alto. Terminé de contestar los cuestionarios como un autómata con baterías bajas. Quería traer un currículo en papel o un fólder vacío pero la chica del teléfono fue muy clara: «No traiga nada más que una identificación». Le hubiera puesto más atención, ¿o no?

—A todos se nos va un detalle. Yo mismo, después de salir de casa, recordé que no me cepillé los dientes. Estoy desesperado por una menta, me mata pensar que la halitosis me arruine la entrevista. «Uno de cada mil», dice el anuncio de internet, ¿lo vio, supongo?

—Sí... O sea que usted o yo, o ninguno de nosotros.

—Puede ser, tengo experiencia en este tipo de compañías y he aprendido que la vida da vueltas, ¿no? Mejor una cara conocida que un enemistad infundada.

Se abrió el saco, cruzó la pierna, se talló la mano derecha contra el pantalón. «Suda... y ha de cagar, y ha de comer, y debe la tarjeta de crédito, y es más viejo que yo. ¡Chica de recepción, rescátame!».

—¿En qué…? ¿En qué se basan?

… Cara de póquer …

—Bueno, un amigo mío trabaja aquí, pero evité anotarlo en mi hoja de referencias. Lo busqué en cuanto supe que había una vacante y fue tan difícil encontrarme con él, incluso fuera de la oficina, que cuando me contó su entrevista me sentí decepcionado. Tanto me hizo esperar al teléfono, me susurraba, me cambiaba la conversación como si lo escucharan, que su descripción de la entrevista no valió la pena. Al menos eso pensé al inicio.

Sobre nuestras cabezas, en cada esquina superior del cuarto había un punto negro. «Las paredes ven y tal vez oigan».

—Me dijo cualquier cosa —siguió—: «Analizan tu perfil, tu grado de compromiso, luego te examinan conocimientos y el coco; es muy estándar», pero tanto silencio y vueltas que me dio me hicieron pensar en lo que en verdad te analizan. Acérquese un poco, señor, que las paredes ven, pero no oyen mucho.

Tímido, me recorrí. Algún recuerdo de mi adolescencia se me coló justo ahí, con terrible incomodidad. «Acércate», alguna vez me dijo una mujer en falda corta al otro extremo de un sillón igual al que entonces me soportaba y tan pronto me acerqué y rocé su ropa sin buscarlo, el pálpito en la entrepierna me ruborizó aunque nada había ocurrido en realidad. «"Acérquese", ha de ser puto».

«Soñé contigo, ¿quieres que lo hagamos realidad?». Cara pálida, ojos rojos, gastritis, ojeras, todo junto.

—Seguridad. Ésa es la palabra clave. Todo lo que quieren saber es si usted es de confianza.

—Bueno, entonces la batalla está ganada. En toda mi vida no he robado un solo peso ni he traicionado secreto alguno. Soy confiable.

—Será usted discreto, señor, pero ¿confiable? Trae aquí un celular. Eso ya lo vuelve un riesgo. ¿No leyó en el periódico sobre aquél que falsificó una transacción a través de su bluetooth del celular?

—Paranoia, eso es paranoia.

—Seguridad, señor, seguridad. Aquí hay números de cuenta, accesos a portales bancarios, información de instrumentos financieros, contabilidades, números y números. En los números no hay espacios para riesgos. Dios creó al mundo en el lenguaje matemático pero se le ocurrió la mala idea de redondear. Así empezó el caos.

«Pinche loco, que se calle». A pesar de que la voz le había aumentado en ritmo, seguía sin alterar el semblante. Sabía hacer inflexiones precisas y arquear las cejas para enfatizar «números y números», me ponía nervioso. Bajo su piel de roca presentí el frenetismo de un obsesivo o las manías de un sociópata.

—Pero siempre hay riesgos. Con eso se debe de vivir —seguí yo, en parte contagiado por su plática precisamente riesgosa—. Un monstruo como este tiene mil sistemas. Un amigo trabajó en una empresa similar, pero mucho más chica. Él sabía cosas. Cosas que pocos saben, por ejemplo, que cada computadora tenía una webcam que grababa al operador o al analista al centésimo de segundo con audio y todo. Tenían un contador de golpes de tecla y había un promedio esperado para cada puesto. Sobrepasarlo significaba estar en la mira de Incidencias Operativas, algo así como la policía local. Cada llamada era grabada, todos los correos electrónicos filtrados por un servidor programado para detectar palabras clave, lenguaje subversivo, patrones, criptogramas. Mi amigo estaba seguro de que se gastaba en seguridad y vigilancia casi tanto como en publicidad.

—¿Él te contó todo esto?

—Palabras más, palabras menos. Cogimos una borrachera de terror cuando le dieron un ascenso y lo mandaron a Perú. Vivió en Lima algún tiempo haciendo casi lo mismo, pero con otra oficina, otra moneda, otros amigos.

—¡Ah, el mundo es un platillo servido cuando entras a un lugar como éste!

—Aunque venga envenenado. Mi amigo se mató cuando iba a Arequipa a ver el lugar donde nació el escritor. Se quedó dormido al volante. Dormía mal por su trabajo, creo.

—Pero tomó la oportunidad. ¡Ciento cincuenta países! Eso también pensé, señor, cuando empecé este viaje a las entrañas de este mundo maravilloso de las finanzas. Los números son un idioma más universal que cualquier lengua.

—Pero no les encuentro la retórica, no les hallo belleza.

—¿Viajar por medio mundo no es belleza?

—Tal vez la belleza nada más sea un sueño.

—No use esa palabra en vano… Pero dígame, ¿cuál es el suyo?

—No lo sé. Pero no era convertirme en burócrata o en vendedor, que son los únicos trabajos que puedo conseguir o los únicos trabajos que hay. Quería comprar un carro y ya lo tengo. Ahora quiero una casa. Tal vez tan sólo para eso vine al mundo, para correr a la salida después de hacer dos compras.

—Mentalidad, señor, mentalidad. Crecimiento. Usted no lo dice pero eso quiere aquí. No nos queda de otra. ¿Qué hacemos sino buscar eso: llegar tan alto como sea posible?

—Casi cada amigo que conozco vive en una empresa grande. Los que no están ahí y trabajan en lugares más modestos, o decidieron poner su propio negocio, tienen una existencia terrenal que no me gustaría llamar mundana. Si he de confesarle algo a usted, le diré la verdad: empecé a llenar la solicitud por pura envidia. Fulano es jefe de tal y tal en esa empresa; Zutano recibe un bono por este y otro concepto cada trimestre, y más y más. Todos son nobleza en sus castillos de cristal ¿y yo? O empeño la juventud ahora o maldigo la vejez después.

—No es envida lo que lo mueve, señor, es ambición.

Sorbí un trago de agua y lo vi reclinarse y asumir de nuevo su postura inescrutable ya sin mirarme. «Te ascendían, bebé, eso soñé. Ganabas más, te daban un bonote y me regalabas un diamante». Me sentía expuesto, pero me excitó el ego pensarme como un ambicioso y no un envidioso. Escuché música de fondo y pensé en la muñeca de mostrador y sus labios de cereza que eran un sabor que se me escurría lento por las manos, por la piel, «¿A qué sabrán?». El cuerpo se me relajó un poco en ese silencio prolongado hasta el punto de olvidar el claqueteo del reloj y escuchar sólo la música.

—No duerma, señor, no duerma, que el mundo se le escapa.

—Disculpe, tuve una noche fatal, ¿ya le dije, no? Cuando conciliaba un poco el sueño, tenía pesadillas, visiones horribles, veía la entrevista, pero no escuchaba nada. ¿Ha tenido sueños que sabe que son sueños, pero no puede escapar? Yo estaba frente al entrevistador, pero él no tenía cara, tenía manos, dedos gruesos, traje de un negro más allá de toda realidad y yo en pijama y recostado. Me hacía preguntas y yo buscaba convencerme de que soñaba y aquello no era real, pero también sentía que si no contestaba me iban a botar, entonces lanzaba verborrea a mansalva y de cuando en cuando cabeceaba. No sé, fue perturbador.

—Hermosa voz: *perturbador*. Ya que estamos compartiendo, le contaré una historia breve que me dejó en la mente esa misma palabra: cada tanto o cuanto tiempo alguien viola la seguridad. Siempre hay una mente malévola que busca tomar más de lo que le corresponde, «No codiciarás las cosas ajenas», entonces ocurre que alguien genera especulación en la bolsa, se roba claves, clona discos duros enteros, sustituye bonos al portador por recortes de Mafalda y desaparece en Sudamérica o en Asia, paraísos más corruptos que éste, y aunque no tarda en caer preso, porque siempre caen presos, hace daño al buen nombre de la empresa. ¿Sabe usted lo que son los "escoltas"?

—Claro, seguridad financiera e industrial, se estudia aún en la universidad menos prestigiosa. Son guardias de seguridad, pero van más allá. Uno sale a un bar con un amigo del trabajo o conoce demasiado fácil a una mujer en un lugar con música para bailar. Los escoltas pueden ser o el amigo o la mujer o algún observador casual que busca averiguar cuánto puede o no puede soportar el empleado sin soltar precisamente esa información que debe quedarse callada. Paranoia, digo yo; seguridad, dice usted. Quizás no debería decirlo, pero mi amigo que murió en Perú tenía un trabajo similar. Insisto, la empresa era más pequeña, entonces, sus atribuciones menos orwellianas.

—¡Ejem! Pues en una empresa así, alguien encontró el modo de evadirlos, a los escoltas. Cuando las jornadas se vuelven largas hay galerones en el subterráneo con dormitorios. Hay también catres y cobijas para tomar una siesta y luego continuar trabajando. Los escoltas están en todos lados y toman parte en los rondines de seguridad paseándose por el edificio verificando que no haya gente escondida en los baños.

—Sí, mi amigo decía que les hacían exámenes periódicos de distensión anal para verificar que no era recurrente la introducción de objetos susceptibles al contrabando de información.

—Precisamente. Un rumor llegó a mí sobre estos temas: un escolta se quedó dormido en su turno de vigilancia nocturna, ¿se imagina? Ahora no recuerdo si fue una serie de festejos o una larga decepción de amores, pero algo lo había mantenido al borde de la vigilia y tenía todos los síntomas del mal sueño. ¡Qué le digo a usted si es la viva estampa de un mal dormir! Buen empleado como era, soñó con su trabajo, así que cuando cayó dormido, sentado en un retrete, en su sueño caminó por los pasillos y siguió buscando irregularidades. ¡Lo que vio! Vio a gente corriendo por las oficinas, vio a analistas de información en ropas de semidioses deambular portando truenos, destruyendo el edificio, vio orgías fenomenales y escuchó pláticas indiscretas. Allí estaba Lupita la de Costos con un par de senos de silicón que hablaban solos y tenían cada cual un nombre árabe. Raúl, de Jurídico, recitaba toscos poemas surrealistas hablando imágenes en lugar de palabras mientras los personajes que mencionaba se iban formando alrededor de él en una audiencia fantástica que intercambiaba glifos tomándolos unos de las bocas de los otros como si fueran paletas de caramelos. Diego, un bróker calvo, lucía una melena sansónica y estaba dividido en dos, hablando consigo mismo sobre su último encuentro de ajedrez. Había mil rostros conocidos que saltaban de una fantasía a otra, se reían, se hacían el amor, desvariaban... Pero algo los interrumpió.

59

Fue como el silencio cayéndoles encima, como el olor de un gas impúdico en un elevador: todos lo notaron y tornaron la mirada hacia el intruso. Desvanecimiento total.

—¿Qué hiciste entonces?

—¡Perspicaz! Me desperté. Si le cuento esto es porque no lo creí real entonces, pero muchas noches más busqué una explicación y, sobre todo, repetir la experiencia. Las caras de aquel sueño ya de vuelta al mundo real se me cruzaban en los pasillos y los...

«...ojos se hacían señales sutiles, se buscaban unos a otros, se topaban en complicidad».

—Yo —siguió— buscaba desenmascararlos porque esa complicidad y las imágenes del sueño tenían que ser parte de la misma conspiración secreta. Olía la conjura pero no tenía otra evidencia que sus rostros en perfecto cuadro sintomático del mal dormir.

—¿Les quedaron solo los sueños para reunirse sin escoltas?

—¡Claro! Y ¿qué iban a hacer sino urdir un atraco o formar un sindicato? O peor aún, dejar de soñar con esto, con esto, señor, que lo ha traído a usted aquí.

Las persianas se agitaban ligeramente y detrás de ellas, por la ventana, no se veía paisaje, sólo un largo espejo reflejándome infinitamente, sin el tipo. «Desabotóname la blusa, yo te libero de toda tensión, papá».

—Noches y noches me quedé en el edificio, apretaba los ojos y dormía aún sin necesitarlo, concentrado en vigilar, pero en estas noches sólo vi personas que sacaban de las pantallas los mismos números que habían visto antes de dormir, los malabareaban y los multiplicaban para repetir hasta el infinito su proceso laboral. Algunos se trataban de convencer de que dormían y que aquello no era real, pero no cesaban en sus intentos por terminar lo que habían empezado allá, horas atrás. Ellos me ignoraron y yo a ellos. Y con la presión llegó el insomnio, las vigilias prolongadas. Me reconocía en los rostros ojerosos de los criminales, hablando solo, cumpliendo apenas el trabajo. Entonces caí sobre el teclado a la mitad de un reporte y cuando levanté la cabeza me encontré de frente con Dieguito ataviado de Sansón y lo cogí por los cabellos. Él dio la voz de alarma y así encontré la puerta secreta a ese mundo: ¡la vigilia! Ahí estaba la clave. Me envenenaba con café para evitar el sueño, soñaba despierto con dormir y a ratos descuidaba el trabajo imaginándome que los pescaba uno por uno y me ascendían por aquello, ¡mejor aún: me creaban un departamento especial! Entre cubículos y sobre pasillos los buscaba, se enviaban señales de susto entre parpadeos somnolientos y eran los últimos en caer dormidos en las jornadas nocturnas, pues por accidente, igual que yo, descubrieron que luego de un estado de vigilia prolongada en pos de un ideal es cuando los sueños son más poderosos. Un día me introduje de nuevo en esas reuniones clandestinas y los enfrenté. Los hice hablar, los hice confesar dormidos. Cuarenta despidos, incluyendo el mío, por haber dormido en el trabajo. Irónico como una fábula de Oriente. Perturbador, ¿no lo cree?

«Despierta, ya estás en el trabajo».

—…

—Entiendo, señor, que no responda. Le conté todo esto porque usted es un buen tipo y no me gustaría que una cabeceada le costara el puesto aquí o en otro lugar. La Seguridad ha sido reforzada. En un sueño mal dirigido está el germen del mal. Se lo dije, con los números no hay espacio para riesgos, ¿o se imagina el mundo si el número dos se rehusara a ser par o si el cero quisiera robarle el valor al uno? El caos, o peor.

Me recorrí hacia el otro lado, incómodo más allá de lo descriptible. Me llevé la lata de cocacola a la boca sin mirar al tipo y aguanté el eructo. Tras la puerta presentía la blusa guinda desabotonándose y la prefería al traje negro y a la conversación inverosímil. El saquito colgado en el respaldo de la silla y el sostén ya algo visible, la sensación dulce y carnosa de los senos en mis manos de dedos fríos, nerviosos, apretando la suavidad cónica de una mujer que no perdía los anteojos ni el rojo del labial aunque me besara con profundidad; una erección descomunal, sus piernas abrazadas, su sexo afelpado contrayéndose en la fricción contra mi herramienta de labranza genital. «¿Qué putos sueños? ¿Qué pinche germen? Primero la Iglesia, luego el Partido, ahora tú». Hurgué hasta el fondo y busqué mis génesis malévolas. Recordaba cuando había soñado que entraba en una taberna cargando un cadáver desnudo o cuando había arrancado de un mordisco los dedos de un amigo vuelto una estatua de amaranto y jarabe natural. Sueños carnales, sueños violentos, sueños con una casa grande frente al mar. Él me observaba y sonreía, interesado.

—Un exescolta nunca va a encontrar trabajo aquí —le dije, rabioso.

—Un escolta nunca está completamente desempleado —me respondió, acomodándose tras su escritorio ya sin rostro y con los dedos gruesos.

Me bebí la cocacola con ron de un solo trago y me retiré en silencio del lugar por la puerta que daba a la sala de espera donde un tipo de traje negro que tenía cara de póquer esperaba a que una fulana metida a fuerzas en un traje sastre hiciera un movimiento delator. Les vi las nubes de diálogos vacías a ambos y casi tomo el bolígrafo de su bolsillo para escribirle «No me veas» a ella y «Ya te vi» a él. Seguí hasta la puerta que daba a recepción y cuando pasé frente a los asientos montados en el riel, una sonrisa carmín, cómplice, me aclaró el panorama y observó los pantalones a cuadros de mis pijamas.

«Usted tiene un correo nuevo».

De: inc.op@constr-domain.com
Enviado: lunes 7 de abril 04:15:17
Para: tigger_psd@msn.com

Estimado señor:
Seguridad lo aprueba.
Acudir a entrevista presencial según datos adjuntos.

Miguel Holguín
Incidencias Operativas
«Ils sont temps durs pour les rêveurs».*

---

*   *Le fabuleux destin d'Amélie Poulin.*

Mathus toca una guitarra Gibson

El siete de octubre vi a Carla en el café que visitaba con Cacho. Yo me asomé por la ventana del carro, la reconocí, y le dije a Liz que, si lo intentaba, aún podía ver a mi amigo justo ahí, frente a ella. El mesero le cambió el cenicero a Carla y, por mi conocimiento de los vicios que sí tenía y los que no, sentí el aguijón de la traición vicaria al suponer que estaba con alguien más. Le mandé un mensaje por el celular y le dije que la había visto al pasar. Ella contestó: «Luego te invito uno», y otro aguijón más ponzoñoso aún me fastidió la tarde preguntándome si había alguna connotación o no. Los dedos de Liz envolviendo mi mano sobre la palanca de velocidades me hacían sentir tan vivo que me parecía impensable que no hubiera coquetería en aquel mensaje. «Seguramente vamos a hablar de él», dije en voz alta, pero no me di cuenta de eso ni del tiempo y las cosas que habían pasado entre el mensaje que recibí de Carla y mi arribo despistado al Café del Teatro hasta que Liz me preguntó: «¿De quién?». Yo estaba ausente. Incluso después de que hablé con Liz sobre lo tristes que son nuestros cumpleaños y lo incomprensible que resultaba para ambos la corbata, seguía pensando en Carla y me sentía aún más culpable por no pensar en Cacho.

Después de algunas caricias atropelladas en la salita verde de su departamento, Liz vibraba entera en sus labios finalmente descubiertos por los míos aún incrédulos. Las yemas aferradas a las espaldas cada cual de su rival me regresaban a esa vieja idea del ser hermafrodita que los dioses, en su envidia, dividieron escopeteándoles centellas condenando a la humanidad a la soledad de buscar a nuestra otra mitad siempre y nunca poder hallarla, como perros corriendo a la orilla de un arroyo, persiguiendo con frenetismo su propio reflejo en el agua y viéndolo desaparecer al tratar de tocarlo. La cabeza volvió al mismo tema de mi amigo ausente y de su mujer irrealizada bebiendo sola e invitándome a unírmele interrumpiendo mi tarde con una mujer recién descubierta. Sólo se me desdibujaron los recuerdos de ellos dos cuando Liz me interrumpió, jadeando, «Espera, es muy pronto». Entonces nos quedamos en silencio y le tomé una foto con el teléfono, tratando de robarle el alma por los ojos y por la boca.

Mano:

Espero que Mazatlán te trate bien, he querido llamarte, pero el trabajo, el proyecto, apenas tengo tiempo. Los pocos ratos que me quedan libres los gasto con Liz, una *sophomore* que me sacude la oficina del cuerpo. Baila, canta, toca una guitarra Gibson; sólo le falta volar. A falta de ella, regreso a los orígenes y los amigos de siempre nunca fallan para hablar tras tazas de café o botellas de cerveza: Ana. Por cierto, encontré a Carla. Me invita a salir. Creo que quiere que le cuente cosas de ti que tú no le cuentas a ella. Luego te paso los pormenores.

PD: Me contestaron de New York, hay posibilidades.

Me quedé intranquilo cuando el correo electrónico voló. Busqué alguna máscara en mi baúl de disfraces para cubrir la desnudez que sentía y encontré la palabra *filios*, que me cubrió tan sólo una parte de la cara. Era el primer correo que le escribía a Cacho en tres meses y, si le hubiera llamado, habría sido nuestra segunda conversación en el mismo tiempo. Trabajo, dinero, tiempo. Algo alejó a mi amigo y cómplice. El resto del domingo me lo gasté en ver películas repetidas, descargar música y recordar los días sin disfraces en que Cacho y yo tomábamos cafés y nos reíamos haciendo planes para que Carla se dejara de rodeos, para que lo aceptara. Como la memoria fluye y mezcla, recordé también las artimañas menos elaboradas que usábamos con las americanas de las clases de intercambio. Antes de conocer a Carla, ellas bailaban con nosotros borrachas de *latin love*, cuando aún teníamos la edad de ellas, cuando nosotros también éramos estudiantes, cuando aún no nos importaba el desempleo o el pelo largo. Cuando trazamos planes para un futuro poco ortodoxo a los que cada quien seguía apegándose a pesar de las distancias y los tiempos y, lo peor, de la imposibilidad de repetir los cafés, las noches de bares, los salones de baile pletóricos de cabelleras rubias y ojos azules que se habían cambiado por aulas de idiomas y oficinas para mí y en supervisiones de obras turísticas en construcción para él. «Carajo, qué rápido se va un año». Entonces apagué la tele, pero no pude dormir.

El lunes repetí el ritual del nudo de la corbata. Con ese gesto matutino, me enterraba tras la máscara de mi primer empleo formal tras la universidad. Me desaté el nudo hasta el jueves por la tarde y decidí usar playera, mezclilla y botas de trabajo. Subí las escaleras del café con *The Sun Also Rises* atenazado con la derecha y disparé una ojeada hacia la mesa. Detrás de un cigarro encendido, estaba ella, con el pelo echado hacia atrás, con los ojos verdes fijos al norte, donde un amigo mío se volvía un desconocido y una historia suya se escabullía entre carreteras que corrían como flechas por kilómetros, que se volvían desierto, que se unían a miles de pasos de playas junto al mar. Fingimos agrado al encontrarnos y, como gente adulta, hablamos del trabajo. El tema de Cacho no fue tocado, pero ambos recordábamos, yo lo sé.

Se conocieron en una fiesta de cumpleaños de Ana, mi Ana. Cacho hablaba de fusionar alta tecnología con arquitectura y yo me obsesionaba con la idea de volverme traductor al terminar la carrera después de haber podido visitar los textos de Miller en la espalda desnuda de Eve, ambos en idioma original. Su aliento entregado que no podía más que balbucear español me obligaron a lamer poesía y pasión en una lengua que no era la mía pero a la que podía hacer cantar aún mejor. Carla escuchaba los planes que contábamos. Más tarde ella le desnudaba a Cacho la ambición más modesta que jamás conocí, tener una tienda de ropa y de regalos, el negocio propio, la discreta rebelión que es la independencia laboral. Ambiciosos como Midas, nos burlamos de su sueño esa misma noche, sentados afuera de la casa de Cacho compartiendo un cigarro.

Yo rechazaba azúcar para mi café, ella sorbía el té helado. Ninguno de los dos nos acercamos demasiado a temas que pudieran hacer que el fantasma de Cacho, agazapado tras cada historia, saltara a matarnos del susto. Bien acostumbrados como estábamos a los juegos de discreción navegamos por la conversación hacia recuerdos comunes pero nunca tropezamos algo que nos fuera incómodo. Cacho habló tanto de Carla, que de pronto estaba otra vez con él, pero frente a ella. Ahí estaban los planes, las flores, los encuentros que nunca eran casuales y que Ana y yo planeábamos. Las siguientes fiestas, los cafés en que ellos se sonreían lejos de la conversación de los demás, Ana me contaba una parte de la historia y yo sabía la otra por Cacho. Nos divertíamos bailando una mascarada de cuatro partes, las cuatro caras del ángel tirando de los cuatro cabos del nudo que cada uno apretaba de alguna forma: los dos protagonistas de una historia rosa, Ana-Celestina y este torpe Sosias.

Agotamos la conversación con cierta velocidad. Jugamos a adivinarnos la mirada y recordé que ella me tenía cierto desprecio. Creí saber por qué, sin embargo nunca lo mencionamos: las cartas y los correos que Carla recibió, las tarjetas que venían en los regalos, habían sido escritos a cuatro manos por Cacho y yo. Los cuatro lo sabíamos, pero nadie lo mencionaba pues habría resultado engorroso sortear mis colaboraciones sin caer en alguna confrontación abierta acerca del asesoramiento recibido por mi amigo que se basaba en convertir sus palabras llanas y enamoradas en retruécanos retóricos. Ella jugaba igual conmigo esa tarde. Bastaba con que dijera que ya nadie la llamaba al celular para que yo supiera que extrañaba las llamadas nocturnas de Cacho. Si ella decía que le frustró nunca aprender a bailar, yo sabía que recordaba los salones de salsa y los intentos de mi amigo porque ella lograra poner un pie tras otro.

Cuando nos dijimos adiós en el estacionamiento del único café que ellos habían visitado juntos, pensé que todo había salido bien. Sobre cuánto de uno mismo dejamos en una persona que queremos y qué tan profunda es la huella de alguien más en uno mismo, no pensé, pero eso era lo que sentía. Quise comprender que ella necesitaba de esa misma sutileza y complicidad para recordarlo, pero unos ojos caninos y falsos me hicieron detenerme cuando sentí su mirada. No supe que había sido él hasta un instante después. La voz de Cacho desprovista de cualquier entonación cuando hablaba por teléfono desde que había partido y los textos de sus correos que se caían a pedazos sin contar nada interesante, nada nuevo, me parecieron al instante imposturas no preparadas por él, sino accidentales, porque algo de él aún rondaba aquí. Carla abrió la bolsa para buscar las llaves de su carro y los ojos plásticos de Mathus me observaron sin pestañear en el breve espacio en que ella metió la mano y la sacó, tintineando. Ella lo notó y erró en el juego de las sutilezas cuando se quedó callada y se marchó, nerviosa.

Marqué el celular de Ana en el descanso del almuerzo. Ana contestó con voz de oficinista y al contarle el episodio del café, ella no entendió la sorpresa.

—Mathus —le dije—. Trae a Mathus en la bolsa.

Ana masticó el silencio.

—Mathus está a gusto con ella. Le perdonó que viajara a Vancouver sin él. ¿Te acuerdas de que Mathus estaba molesto? Pues entendió las cosas y ahora ya está bien.

—Es que no me entiendes. Mathus está aquí y Cacho está allá. Eso no se puede, al menos no por tanto tiempo —me callé un momento—. A mí nadie me dijo.

—Nadie tenía por qué decirte nada. Mejor invítame un café y hablamos de eso.

Utilicé a Ana para hablar sobre Cacho y para reunirnos de nuevo con Carla, movido en parte por la curiosidad morbosa del chisme y en parte por lo lejos que estaba Cacho de mí, entonces casi inaccesible. Apenas tenía tiempo para Liz, que tocaba desnuda la Gibson después de cada encuentro. A puerta cerrada, su voz lo llenaba todo, su voz y ese sonido claro que ella conseguía sacarle al instrumento pero que a mí se me negaba cuando la tocaba. «Tienes que dejar que cante ella», me decía Liz con un español cada vez mejor. Era por ello que le frustraba no entender un carajo cuando, alrededor de una mesa llena de cervezas, Ana respondía mis preguntas sobre Cacho en un español veloz e incomprensible esperando que Carla se tardara haciendo cola para entrar al baño. Yo buscaba la razón de que mi amigo no estuviera ya conmigo, de que nuestro juego de cuatro partes se hubiera acabado con su partida. «Hablan sobre la mujer que se levantó, ¿no es cierto?», me preguntaba Liz y yo contestaba cualquier vaguedad y la besaba esperando que no volviera a interrumpir.

Ana me dio la razón acerca de la vacuidad del alma de Cacho; del surfista aficionado que tomó esa foto de sí mismo arrodillado en la arena con el mar enfrente tratando de detener el sol del atardecer en la posición de súplica que recordaba al bíblico Josué cada vez quedaba menos. Cuando el tema se tocaba y Carla estaba con nosotros, ella se callaba y daba sorbos largos al té o a la cerveza porque no tomaba café con nosotros, ese privilegio estaba reservado. Tan pronto como la conversación se acercaba a cualquiera de los dos, Cacho o Mathus, ella perdía los ojos y buscaba siempre el norte, se aferraba a su bolsa de mano y entonces yo sospechaba su contenido. A veces, mientras hablábamos, la veía acariciar la bolsa y humedecer los labios. Otras veces, tocaba la bolsa como si el teléfono hubiera vibrado, pero no sonaba nunca, era algo más lo que se movía.

Mathus se recostaba en la cama de Cacho, nos veía jugar en la consola o fumar en el jardín. Mathus se perdía entre los brazos de una americana de intercambio una vez cada tres o cuatro meses y Cacho se regodeaba al ver a su mascota de felpa deslizarse por las pieles que el dueño recorría después. Rentábamos películas y Mathus descansaba en el abdomen de Cacho mientras yo trataba de no reírme, las primeras veces, de un hombre de veinte años con un diminuto perro de peluche sobre sí. «¿De dónde lo sacaste?», le pregunté alguna vez; «Se le olvidó a un americana hace años. Fue la primera mujer», me contestó y fue la única vez que hablamos de eso porque Mathus dejó de ser un objeto olvidado en el momento mismo en que la mujer cuyo nombre no interesa se marchó para convertirse en un fetiche cándido que igual se pasaba horas frente al televisor o deseaba tener párpados para cerrarlos cuando Cacho encerraba a una mujer en su habitación. Cuando los años pasaron y Cacho aún vivía en la ciudad, yo llegaba temprano a su casa para fraguar los viernes y si Cacho salía a hablar por teléfono, me quedaba con Mathus hablando de mujeres y de libros. Era un excelente escucha.

Quise hablar de todo esto que recordaba con Ana, pero ella parecía no entenderme ya. «Están bien, los tres están bien», y yo no entendía cómo podían estar bien si Cacho dejaba de trabajar a las nueve de la noche y empezaba el día a las siete y media de la mañana, si Carla era un fantasma que sólo sabía sujetar su bolsa y yo no podía avanzar en mis muestras para la beca sin tropezarme con un artilugio lingüístico que me impedía continuar y me obligaba a volver a los discursos, a los oficios y a los memos de la oficina. Incapaz de traducir literatura, lejos ya de las palabras de un enamorado que yo sabía interpretar, abandonaba momentáneamente la idea de viajar y convertía mentiras vulgares en alimento para los archivos de la jerarquía de medio pelo de mi ciudad. En vez de desnudar a la literatura en una lengua nueva, vestía con lentejuelas a las repetidas gesticulaciones en mi propio idioma.

A inicios de noviembre, volvió Cacho. No le avisó a nadie. Miento. No me avisó a mí. Sin Cacho; Carla, Ana, Liz y yo visitamos el cementerio de Tzintzuntzan y vimos a las guares de rodillas como han estado por siglos. Recordé a Cacho mirando a Carla, un año atrás, mientras contábamos con cuatro dedos los años que habían estado así, en un *impase* sentimental que tenía a Cacho fatigado. La memoria se me fue entre el tropel de turistas al sentir la mano de Ana sobre la mía. «¿Crees que traiga al Mathus en la bolsa?», le pregunté a Ana. Carla y Liz sacaban fotos. «Olvídate de eso y canta conmigo», me dijo al oído, demasiado cerca. En el campamento cantamos a coro «Wish You Were Here», de Pink Floyd. Era un chiste que nadie tenía que explicar y que nos hizo sentir la presencia del ausente. Yo tocaba la guitarra de Liz, que era mucho mejor que la mía, y que ahora pasaba casi tantos días en mi casa como noches pasaba yo con Liz. Carla oía las canciones con una mano metida en la bolsa, como acariciando al perro en su interior. Ana cantaba y, con su voz, sentía que a veces le pasaba por encima a la guitarra. Todo marchaba, hasta que se me ocurrió experimentar con los sentimientos ajenos y en la Gibson toqué la canción que sonaba cuando Cacho y Carla hicieron el amor por única ocasión. Sólo entonces Carla me miró, alejada de cualquier sutileza, y los ojos le temblaron. Yo sabía que la había herido, pero no me importó de inmediato.

—¿Sabes por qué no puedes traducir? —dijo de la nada—. Porque intentas hablar de ti cuando deberías hablar por los demás. Tú eres la segunda fila, ¿por qué crees que las mujeres no te quieren cuando hablas en idioma original?

Callé y bebí hasta agotar el vaso.

—Dice que me quiere, pero que no se entiende ella misma —me había dicho Cacho antes de partir, tres meses atrás.

Estábamos junto al templo de San Francisco. Los globeros se empezaban a ir a sus casas y las mamás correteaban a los niños para subirlos a los últimos camiones.

—Me lo devolvió —y Mathus se aguantaba las ganas de llorar dejándose estrujar por los dedos huesudos de Cacho, recostado otra vez en su abdomen.

—Y ¿qué hiciste?

—Me regresé temprano a mi casa y acabé de empacar. Me voy el domingo, así que mañana nos emborrachamos.

Ella estaba feliz con él y él estaba feliz con ella. Corrían por bares y bailaban tomados de las manos, caminaban por el centro de la ciudad, se desvelaban hablando por teléfono y él fue el único hombre que la hizo llorar y reír al mismo tiempo. El día en que Cacho le presentó a Mathus, ella lo saludó por su nombre y dijo que Cacho hablaba mucho de él. Cuando se despidieron, ella dijo que había sido un gusto haberlo conocido y que esperaba verlo pronto. Ahí habían empezado los viajes de Mathus de una casa a la otra. Unos días estaba con Cacho y otros con Carla. Carla empezó a fabricarse morrales más propios para cargar al perrito y playeras de mantilla con bordados que parecían autóctonos pero que diseñaba ella durante los largos almuerzos de su trabajo. Pero el juego de hacerlo todo juntos menos ser una pareja formal con los *te quiero* y los problemas le colmó a Cacho poco a poco. «Mathus piensa mucho en ti», decía Cacho y entonces el perro se pasaba el fin de semana con ella. «Mathus sabe que las cosas buenas duran poco», decía Carla y Mathus volvía con su dueño original, siempre sintiéndose incompleto, parte de un hogar que no podía terminar de construirse. Alguna vez hablé con Mathus al respecto y él supo darme a entender, con su perruna simpleza, que ninguno de los dos mentía cuando hablaban de él. Seguro de no existir, Mathus disfrutaba de ser un portavoz. Podía hacer que cualquiera de ellos hablara a través de sí, porque su voz surgía del silencio, la contemplación y la comprensión. Por Mathus supe que Carla tenía una foto de Cacho en la cartera y por él también supe que Cacho no quería largarse a ningún lado, pero estaba harto de compartir amigos y emociones sin que lo amaran cotidianamente. Cacho, antes que yo, se cansó de vivir como vivíamos: en una adolescencia en tiempos extra, en el Nunca Jamás donde ya nadie podía volar, ni lo quería.

Subempleados pero sonrientes, empezamos a trazar un plan de cinco a diez años de duración para invitarnos a pasar veranos en nuestras respectivas residencias en el extranjero, New York para mí, París para él. «No quiero usar corbata», le dije; «No quiero vivir en mi trabajo», contestó. «Nada más me quedaría aquí si me quedara con ella». Pero no se quedó. El último domingo de julio se marchó pero, de algún modo, Mathus se quedó con ella.

Medio borracho y dormido como estaba, no noté que me levantaban el cobertor. Todo a mi alrededor era oscuridad y verdor cubierto por rocío que anunciaba el invierno. Se olía la cercanía del lago de Pátzcuaro que se despedía del Día de los Muertos que sólo existe durante una noche. Estrellas por todos lados y los ojos de Carla, a los que Mathus debería de haberles ladrado desde el inicio, pero que decidió acoger como lugar de reposo.

—Mathus quiere decirte adiós.

—No jodas, pues ¿a dónde va? —susurré, temiendo que Liz se despertara.

—A dormir. Hablamos toda la noche y está cansadísimo.

—Yo también. Además sigo borracho —Carla se fue sin esperar a nadie.

En el camino de regreso, Ana me dijo que Cacho estaba en la ciudad así que fui derecho a su casa. Pensaba que Carla lo habría secuestrado al fin, pero no. Ahí estaba él, metiendo a Mathus en su maleta recién hecha. Lo abracé, feliz de tenerlo de vuelta y luego le reclamé que hubiera llegado sin aviso. «No quería ir con ustedes a acampar. No quiero sentarme a darte explicaciones. No quiero hacer como que el tiempo no ha pasado y todavía somos los mismos; eso ya no es cierto», dijo; «¿Viste a Carla?», le pregunté, pero él sólo se despidió. «Nunca entenderás a esa mujer, a ninguna. No nos vamos a entender tú y yo, no hay entendimiento para nadie. Tú lo dijiste hace años: no hay historias, hay versiones. Me voy, pero esta vez Mathus sí se viene conmigo». Tomó un camión a Guadalajara y ahí compró un Grand Marquis usado. Se fue conduciendo sin parar desde Zapopan hasta que se le acabó la tierra en Topolobampo. Ahí se montó en un *ferry* que lo llevó a La Paz. Luego siguió conduciendo. «Tengo trabajo en playa Rosarito, luego te mando un correo», dijo, pero nunca más supe de él.

Hasta la fecha no he vuelto a habar con él ni con Carla. Me quedó Liz por algunas semanas más, pero se regresó a Kentucky dejando atrás a su guitarra. «Promise me you'll take her to me, if you're ever in the States», me dijo con la voz resquebrajada y yo no pude contestar. Le devolví el libro de Hemingway diciéndole que no me había gustado. «La historia de amor no termina en nada», «Termina en la soledad, ¿a dónde más te lleva el amor?». Desde ese día, su guitarra empezó a llorar melodías que me goteaban desde las manos y que se agarraban de palabras que sólo podía juntar en inglés. Cuando la despedí en la calle donde había vivido los últimos tres meses, la vi marcharse tan distinta de como la conocí, tan cercana que estaba seguro de que no iba a encontrar nada cuando volviera a su casa, porque aquí estaba yo, pero el tiempo se encargó de darle la razón a la costumbre y nuestros correos, primero apasionados, se hicieron cenizas de memorias encendidas de las que no quedó nada que nos volviera a servir de yesca.

Cacho se me extravió entre los correos que nunca contestó. Cambió su celular y no lo notificó a nadie que me quisiera notificar a mí. Mi beca estaba casi resuelta y no encontré respuesta alguna de aquél con quien fragüé la aventura por primera vez. Me quedé indispuesto hasta que llegó la fiesta de Año Nuevo. Esa Noche Vieja, Ana me explicó que Cacho sólo había hablado, hablado de verdad, con Carla desde agosto hasta noviembre, pero que desde noviembre no hablaba con nadie. Traté de que me contara sobre Carla, pero las burbujas y los globos nos bañaron entre música de fiesta y vodka más caro del que yo podía pagar. El resto de la noche fue bailar y aunque estaba desmemoriado por la bebida, tengo un vago recuerdo de haberla besado, feliz. Cuando desperté al 2006, emponzoñado por la jaqueca y con el sol en los ojos, vi un mensaje en mi teléfono, «Carla se quedó con Mathus».

Traté de contactar a Cacho por última vez, intuyendo la estafa de su mujer cuyas modestas aspiraciones la habían convertido en hábil artesana. Cacho me bloqueó de su cuenta de correos antes de que le escribiera mis sospechas sobre su Mathus. «Mathus sigue aquí, ¿con qué se quedó Cacho?», pensaba.

—La primera vez, Mathus convenció a Cacho de dejarlo aquí —me dijo Ana frente a un café.

—Nadie me dijo —me quejé.

—Nadie te debe nada.

—¿Dónde está Carla ahora? —interrumpí, incomodado por la verdad.

—Voló —me contestó y luego se quedó callada—. ¿Y tú? ¿Cuándo te vas?

Carla trabajó en una oficina de gobierno desde que yo la conocí. Mujer de pocas palabras y secretos motivos, había ahorrado hasta que tuvo suficiente para iniciar su negocio en San Diego. Ropa y regalos. Bajo pretexto de enviar algunas cosas indispensables a Carla, Ana y yo entramos en su habitación vacía, casi contra la voluntad de su madre, y hurgamos en cada caja que dejó atrás. En múltiples sesiones de café y cerveza, repasamos fotos y textos que robamos, nos abrazamos con una familiaridad extraña y nos armamos un rompecabezas demasiado fácil. Tal vez Carla había notado mi cara de mascota abandonada cuando se fue del campamento y me dejó más que suficiente para llenar los pocos huecos que quedaban. Su rastro de migajas nos hacía voz de los demás y nos ponía a hablar de nosotros.

Las fotos de Carla eran, sobre todo, fotos de ella y Mathus. Ahí estaban los dos leyendo en un café o recostados en la cama viendo películas repetidas, ella con él adormilado sobre el vientre femenino que lo acogía. Había fotos de ternura envidiable en que la complicidad de Mathus y Carla estaba muy lejos del mórbido espectáculo de una mujer besando un muñeco de peluche. Había honestidad y había amor puro y sincero. La inflexión que la voz de Cacho había perdido desde su partida se equilibraba con los textos que tenían la voz de Mathus escritos con palabras llanas que yo mismo no hubiera podido poner en labios de mi amigo. Nada se perdió, todo estaba ahí, intacto pero dividido. Por las fotos y los textos comprendí todo lo que Cacho dejó en ese perro y todo lo que Carla le robó cuando se lo quedó. La primera vez, Mathus quiso quedarse con Carla, quizás urdiendo su propio plan para reunirlos; la segunda, Carla no lo dejó ir y envió un falso Mathus con Cacho, quien no se enteró de la estafa o fingió no hacerlo para dejarse desvanecer en la lejanía mientras el Mathus verdadero se quedaba allí, con ella. Al final, Mathus fue el punto axial en donde cada cual, consumido por atrapar a su propio unicornio, recordaba al otro.

Con el paso de las semanas de enero, lo único que me quedó de esos días fue Ana. Mientras ella cantaba con su voz indefiniblemente áspera, yo tocaba la guitarra hurtada. En las pausas que hacíamos para abrir una botella de vino o para escribir torpes letras con melodías sencillas, me contaba de la tienda de Carla, no muy lejos de la frontera, de los negocios de construcción que traían a Cacho de Tijuana a Rosarito. Fieles a los juegos de la mascarada, los dos obviamos la cercanía geográfica de San Diego y de Tijuana y le dábamos la espalda a aquella historia que ya no nos pertenecía forjando quimeras musicales que sólo ella lograba domar con su voz.

La historia de Cacho, Carla y Mathus me sugiere ahora más respuestas que preguntas. El paso del tiempo y mi propio viaje me hicieron escuchar más y preguntar menos hasta que lentamente se disolvió y la dejé por la paz, convencido de que no la iba a comprender nunca. La enterré profundo en mi memoria cuando un correo electrónico me notificó que había una beca con mi nombre escrito para vivir entre seis meses y un año en New York. Se armó una parranda infinita en donde dejé más que un beso en los labios de Ana y la guitarra de Liz en su carro. Al otro día viajé dormido al aeropuerto Benito Juárez e hice todo el proceso de abordaje con una cruda mortal que me duró hasta que el avión tocó el suelo. Cuando llegué a mi cuartucho, que me anunciaron como apartamento, resentí haber traído mi guitarra en lugar de la Gibson, pero no le di importancia al incidente hasta que mi padre me llamó en marzo para felicitarme por mi cumpleaños. Le contesté cualquier vaguedad y volví a trabajar en mis apuntes. Me levantaba a las seis y me dormía a las once, siempre con una melodía nueva en la cabeza y con las entregas de la bibliografía que había tomado de la biblioteca indefectiblemente retrasadas. En algunos tiempos libres, visitaba bares con bandas en vivo y entonces trataba de anotar mentalmente los acordes o los ligados y le enviaba correos a Ana en donde le explicaba las nuevas formas en que su voz podría vibrar si tan sólo estuviera yo cerca de ella. Mi vieja guitarra se tocaba sólo lo necesario y la mayor parte de mi evolución estaba en quimeras mentales indomables. Las habilidades de la traducción avanzaban también a pasos agigantados, pero no me sorprendían tanto como la música, un descubrimiento aún fresco en mi mente que se maravillaba como sólo la inocencia del neófito lo puede permitir.

La burocracia me obligó a volver a México en verano. En el aeropuerto, antes de tomar el avión de regreso a casa para el papeleo, un par de *backpackers* cantaban «Wish You Were Here» en los asientos de la sala de espera donde esperaba el abordaje. La voz de la chica sonó peculiarmente áspera en línea de «we're just two lost souls swimming in a fish bowl», y entonces entendí cuánto quería volver a tocar esa guitarra, aunque esa guitarra se escondiera de mí. Recordé que llevaba meses sin cantar, pero que tenía todos los sonidos de esas quimeras listos para ser domados por otra voz que no fuera la mía. Entendí que no podía regresar a New York si no era con esa guitarra en mi hombro, y entendí que para conseguirla tendría que canjearla por algo que me fuera profundamente importante, como la amistad de Ana, como el último vínculo con mi ciudad, con mi pasado, con ese Peter Pan que recuerda siempre con omisiones cobardes y con adiciones excesivas, porque recordar sin atributos es un privilegio de la edad que no se gana fácil. Entre las líneas de la canción escuché el ladrido afelpado de Mathus, la voz revitalizada de Cacho, vi los diseños de perritos de peluche que vendía Carla en su tienda. Miré nuestras vidas que vivimos de modo vicario en las personas y las cosas. Las centellas de los dioses fueron poco certeras con algunos de nosotros al partirnos y dejaron trozos intermedios entre los dos seres nuevos, trozos que hay que hallar antes del reencuentro. Por eso entendí la treta de Carla, por eso supe de la nostalgia que sentía Liz por su guitarra, por eso apenas creí en el amor que me esperaba y me desilusionó la facilidad con la que iba a abandonarlo cuando me descubrí en el asiento 34-D volando hacia mi ciudad sin haberle avisado a nadie que volvía y pretendiendo hacerlo con tanta brevedad como me fuera posible. En cuanto se rompe el hilo que nos ata a cierta juventud, cualquier vuelta al pasado es una traición imperdonable al futuro. Vi mi reflejo en la ventanilla del avión y en sus ojos vi esta historia, las centellas que nosotros mismos nos escopeteamos para desperdigarnos por el mundo en una búsqueda del tesoro en la que el *filios* y el *eros* están enterrados en corazones de carne, felpa o madera. Como un perro, perseguí frenético mi reflejo que me contó este cuento por varias horas de vuelo hasta que aterricé y noté que mi rostro ya no estaba allí, pero ya entonces sabía que siempre podía volvérmelo a encontrar y perseguirlo en el cauce de un arroyo, en la ventanilla de un autobús, en los ojos plásticos de un perro de felpa o en la resonancia de la voz en la caja de una guitarra.

Porque son muchos

El primer indicio fueron sus ojos de ultratumba observándolo todo desde el dintel de la puerta que advierte «Pierde toda esperanza». Su llegada fue anormal, pero de ningún modo macabra. Mezclilla y botas, gorro y chamarra. Después hubo cal y canto alrededor de mí, aullidos exasperantes y mi vida que se escapaba en una exhalación fuerte del plexo, desde ahí de donde se anida la risa y se identifica el conato del amor. Exhumada de mis tripas en forma de ánima, mi vida se fugaba y me así de su cauda fantasmal como de una línea de espeleólogo para escapar y no he vuelto aún.

En enero dos me llamó el licenciado Ordóñez. No me encontró, por suerte, pero me dejó recado para asistir a la lectura del testamento de Má Rosario en su oficina. «Once menos cuarto», anotó textual mi secretaria en un post-it manila y yo arrugué la cara pensando que el imbécil leía traducciones al español peninsular de novelas en inglés porque de otro modo no me explicaba quién diablos dice «once menos cuarto» sin haber vivido fuera del país jamás. Los tétricos santos óleos, el velorio y el entierro antes de Navidad me habían dejado agotado. Todos mis consanguíneos y agregados llegaron a la funeraria antes que yo y se colaron escurriéndose hasta los últimos lugares de salas y parroquia con habilidad hídrica. En observancia *a contrario sensu* de lo que indicaban las formas, mi parentela completa se tomó turnos para estrechar la mano seca de Ordóñez, que esperaba sentado a los carroñeros junto al baño de hombres de la funeraria, buscando un adelanto del testamento. Todos menos yo, que había entablado una reyerta callejera a trompadas con el abogado precisamente en la lectura del testamento de Pá Jesús debido a acontecimientos poco gratos muy propios de las triquiñuelas de los leguleyos. Nos miramos de lejos, con rabia. Pensé en ir darle un golpe sorpresivo, tal vez sin que lo mereciera, pero me vino a la mente la cara de Má Rosario, arrebatada de la tierra al morir mientras dormía, «la muerte de los justos», y entonces me contuve y esperé.

En tres cuartos de hora, en una oficina en el centro de la ciudad, se despacharon los pormenores del testamento. Ante la mirada enconada de mis tíos y primos, heredé la única posesión de valor de la abuela: la casa colonial frente al jardín de Villalongín. Ordóñez insistió en acompañarme al inmueble al día siguiente para dar formalidad a la entrega y así nos encontramos, inexpresivos en la acera de la avenida con la casa a nuestras espaldas.

Por dentro, la casa que heredé en el último capricho de mi abuela era de una arquitectura indescifrable. Incluso por fuera, la fachada estaba recortada, pues el inmueble original se había dividido en dos propiedades. Lo que llamábamos *la casa* no tenía una identidad arquitectónica individual, sino que estaba inmersa en la armonía, ahora dificultosa o irrumpida, de la construcción de la cual se desprendía. «Dignamente colonial», dijo Ordóñez, manos en la cintura, cuando nos paramos frente a la puerta de madera de nogal, pesadísima, y contemplamos el edificio con deseo barriéndolo desde las baldosas en cantera rosa hasta los desagües del segundo piso.

Tras tocar la aldaba por pura superstición, moví la puerta pujando por el esfuerzo. Me encontré con una cochera diminuta y a la izquierda con una escalera de peldaños verdes que no había recorrido desde que era un niño obeso que jadeaba con la menor actividad. Tras la cochera estaba el medio patio colonial, truncado sin el menor cuidado, con sus arcos de columnas esbeltas enmascaradas de musgo, y un jardín descuidado transpirando olor a matas. El reflejo de rascarme me vino ante la visión de todo aquel verdor en donde había sido picado, mordido y arañado por bichos de ralea varias y hierbas de la peor calaña. Alrededor, en la herradura incompleta que se formaba partiendo de la cochera y terminando en el extremo opuesto del jardín en el que me encontraba, estaba un comedor descomunal, una cocina inmensa, una biblioteca sin libros en los estantes, dos cuartos para criadas y dos baños y medio. En el segundo piso aún había ese pasillo largo que corría entre las recámaras que daban a la avenida y las que daban al medio patio, mis favoritas. Accedí a él por la escalera e imaginé la cochera bajo mis pies. Caminé entre paredes carcomidas de yeso o cal para topar con una puerta empotrada en un muro de tabiques sin detalles que daban al resto de las habitaciones, y que me regresaron a la sensación infantil de que estaba en un castillo con calabozos en cualquier lugar. La sensación caótica de algunos muros, de las habitaciones más recientes, de los servicios y aún de los propios enchufes de la luz evocaban el desparpajo organizativo de mi Má Rosario y su carácter pleno de decisiones arbitrarias, matriarcales. «¿Qué voy a hacer con esto?», pensé, cabeza mirando al suelo, cuando salimos a la calle y me prendí un cigarro sobre la acera mirando la amplia avenida que terminaba justo frente a mí en una fuente que dormía.

Ante la tentativa de Ordóñez de comprarme la casona y muebles por una suma fuerte de dinero, percibí la oportunidad de negocio. «Si así la quiere, destartalada y añosa, ¿cuánto valdrá remodelada?». Ordóñez despotricó ante mis intenciones porque el comentario se me escapó en el duermevela que me había quedado tras la vista de mi casa de visitas preferida de la infancia. Él, decía, era el destinatario más indicado para preservar la antigüedad. Fino conocedor de la ciudad, de eso alardeaba, sabría «cómo enderezar sin alterar, cómo embellecer sin desmerecer», frases sueltas, contrahechas como la casa de mi Má. Me negué, por supuesto, más contento por haberle dado ese golpe final en el orgullo que por cualquier cantidad que pudiera valer la casa al final de mis arreglos.

Un fin de semana me bastó para acarrear mis pertenencias hasta la casa en el centro histórico. Los muebles viejos que parecían compartir la edad de la casona me rodearon desde lejos la primera noche dificultándome el sueño. Acostumbrado a los días con mobiliario de Office Depot que me arrinconaban sin dejar espacios infuncionales, ocupé un solo cuarto de la casa y me instalé en la habitación en donde, sabía, habían dormido todos los hermanos de mi madre y luego habíamos invadido los nietos. No quise saltar a la habitación principal por temor a las amenazas que la abuela nos hacía cuando éramos pequeños: «Les voy a jalar las patas en la noche», decía, y pensé que tal vez, atolondrada por los viajes de ultratumba, confundiría épocas y personajes y me tomaría por alguno de sus cuatro hijos que dormía donde siempre y no me jalaría las patas, evitándose la pena de arruinarle el sueño a uno de sus propios vástagos.

Dejé correr dos noches largas y heladas. Me iba a la cama envuelto por el frío de las canteras fluyendo libre en mi nueva habitación hacia el techo alto, muy alto, con su esqueleto de vigas veteadas por la humedad y jaspeadas con los hoyos de las termitas. Me acordaba, no sin repulsión, de los cuentos de ciempiés gigantes que anidaban tras las vigas y que caían como culebras sobre las almohadas. Alacranes, cucarachas, ratones entre las paredes. Me parecía estar rodeado de todo por las noches. Sobre todo, me parecía ser observado desde los muros por la Má, esa mirada tierna que contaba la peor de las historias de aparecidos mientras sus nietos hacíamos pijamadas en esa misma alcoba y luego nos retaba a correr a la cocina por un vaso de agua, descalzos y asustados. Sentía que el fantasma de mi madre misma me miraba junto a ella o que me vigilaban las proyecciones astrales de los sueños de mis tíos desperdigados en una diáspora hacia ciudades en cuatro estados del país. Todos mis primos y mis juguetes de madera. Todos mis años felices.

Ordóñez no tomó mi llamada. Le dejé recado pidiéndole que me recomendara a un restaurador que cobrara barato o a un maestro albañil que tuviera referencias deslumbrantes. Al colgar, me sonreí pensando que Ordóñez haría cálculos tan pronto recibiera el mensaje, si acaso no escuchaba la conversación por el teléfono de su oficina, y llegaría a la conclusión de que la posibilidad de la compra de la casa había escapado para siempre de sus manos, a diferencia de las fincas cercanas al aeropuerto que el abuelo permitió que le comprara a precio de risa y que el abogado sabía que valdrían oro al volverse lotes para viviendas. Pensé que aún quedaba cortesía en Ordóñez, a pesar de nuestra historia, cuando un hombre mayor, que escondía la edad en su piel curtida y su postura recta resistente a ventarrones, llegó a mi puerta con los últimos reflejos crepusculares del ocaso disolviendo la catedral en el juego de sombras del anochecer. En tres frases me arrojó los precios, los tiempos, las dificultades con Ayuntamiento y sus diferentes comités de preservación del patrimonio. Como sus palabras no haraganeaban ni se caían al piso buscando lamer mis zapatos, me sentí confiado. El atuendo era engañoso, se vislumbraba sencillez en la chamarra, pero la plática era directa sin llegar jamás a la rudeza y ahí se entreveraba conocimiento y experiencia. «Vuelvo luego, usted decide», y salió de la casa sin que tuviera que mostrarle la salida, antes tuve que apresurarme un poco para alcanzar sus pasos flotantes hasta la puerta de nogal que jaló para abrir sin dar muestras de esfuerzos ni señas de necesitar ayuda.

Un resane, cantera de la región, vigas nuevas. Las primeras peticiones eran justas, razonables. Uno de mis tíos era arquitecto, pero no le dije nada. Era mi gusto secreto rejuvenecer la casa y mostrarla espléndida a mis familiares antes de venderla pero, aún así, recordaba sus advertencias: «No sueltes dinero, compra tú las cosas, te van a chingar si les das manga ancha». Por las mañanas, entre el alba y el aurora, una cuadrilla llamaba a la puerta y se arrojaba sobre las plantas, las paredes y los pisos. Desde el día uno entraron a trabajar si esperar indicaciones o permisos. Sólo llevaban los requerimientos de materiales del maestro en su memoria. Entonces antes de salir hacia el trabajo, echaba llave a todas las puertas de la casa, y usaba cada momento libre para comprar lo que hacía falta y llevarlo a casa en la cajuela cuando era posible. Día a día, los requerimientos se fueron haciendo mayores y el ruido en la casa era insoportable. No podía contar cuantos peones traía el maestro albañil consigo, pero sí podía decir que todos habían sido educados por su mano. Aunque él sólo se aparecía al despedirse el día y con éste la jornada y los peones, lo veía presente en todos ellos, como un titiritero con mando a distancia que dirigía cada paso. Yo caminaba de una habitación a otra saltando varillas, cimbras, empastes frescos, cernedores, picos y palas, tropezando a cada momento, pero todos los trabajadores, una legión, se movían sin tropezar ni amainar el paso, ni sudar. Tampoco miraban a los ojos y se afanaban, con guantes de faena o manos angulosas cubiertas de cal, en sus labores secretas para mí. «Artesanos», pensé, mientras veía la casa mutando frente a mí. Pero el gusto duró poco. Las obras llevaban casi un mes cuando los peones me dijeron que un inspector de Ayuntamiento se paseaba preguntando por mí o por quien estuviera cargo. Ante la amenaza de la multa, consulté con el maestro, que me escuchaba mientras se prendía un cigarro Delicado con un cerillo diminuto que me hizo creer que la flama le salía de la punta de los dedos. Me miró y bajé los ojos. «Hay que empezar a trabajar de noche, o por lo menos a velar, porque no tardan en caer como marabunta», me dijo.

Entonces me desvelé como hacía años que no ocurría. Los trabajos iniciaban al atardecer y duraban hasta bien entrada la noche. Cuando la cuadrilla partía, un velador se apostaba en su puesto de vigía en el jardín y yo encontraba de lo más extraño que prefiriera encender un fuego dentro de un bote de mezcla y calentar tortillas en una tapa de cubeta de pintura en vez de recogerse en la casa. Temía por mis pocas pertenencias más que por mí seguridad así que para perseguir el sueño y hacer acto de presencia me sentaba en la biblioteca de estantes vacíos y sombras fantasmales a leer los libros que mi Má me había regalado y me iba a dormir de madrugada, apagando todas las luces a mi paso. Quise hacer planes para noches posteriores y poner mi propio toque a la remodelación educándome con los peones en alguna de sus artes, pero una falla en los servicios de la casa me fastidió toda intención de realizar jornadas nocturnas.

Una noche, mientras leía un cuento de Allan Poe, la luz escapó con un chasquido. Solo y en penumbra, temí ser comido vivo por las alimañas de la casa y le llamé al velador pero no obtuve respuesta. Después de algunos segundos sin otro ruido que el de mi corazón delator que se aceleraba presintiendo la impronta del miedo, los ruidos de cinceles, de martillos, choques casuales de madera de tablones y metales de herramientas me llegaron desde lo lejos con la nitidez del eco de un sonido persistente en la memoria. Sacudí la cabeza convenciéndome de imaginar o recordar y calculé que pasaba de medianoche mientras avanzaba hacia el jardín inundado de herramientas. Ahí estaba el velador, observando la danza del fuego absorto en un espectáculo tan hipnotizante y tétrico como el de un cadáver fresco. Brazos y piernas diminutas parecían distinguirse entre las llamas y escuché un quejido antiguo entre su crepitar. El velador levantó los ojos e intuí que las llamas eran las que lo observaban a él, que las llamas no eran hipnóticas sino que estaban dominadas por sus ojos porque las llamas también debían sentirse petrificadas ante sus cuencas más oscuras que el petróleo y su gesto espectral de miles de arrugas imposibles, como de cuero secado al sol, que me miró sin vida dejándome un rictus mortal de espanto.

«Buenas», me saludó al levantarse, «Se fue la luz, es normal». Era el maestro el que me hablaba, el restaurador de las palabras precisas ya sin trazos de su facha anterior, ya humanizado. Sin dar respuesta, quise caminar veloz hasta mi habitación, pero tenía que aminorar el paso al no

reconocer un solo espacio de la casa restaurada, majestuo-
samente embellecida por las luces de la noche. Los sonidos de labores me seguían llegando y sombras de peones
se cruzaban de un lado a otro del marco de las puertas; yo
aceleraba el paso y buscaba al dueño de la silueta pero no
encontraba sino espacios desconocidos y vacíos en los que
creía ver figuras oscuras fundirse con las paredes, dejándo-
les una sombra nueva. Los sonidos cesaban tan pronto me
acercaba a su origen y reaparecían tras de mí acompañados
de quejidos o de risas. Deambulando como un ebrio llegué
hasta mi recámara y me encerré, trazando una señal de la
cruz con las cenizas de un cigarro que fumé entero en dos
bocanadas temblorosas. Traté de dormir, pero los ruidos de
los trabajadores que no encontraba me impidieron tener
cualquier forma de reposo. Me mantuve en vela y con la
ropa puesta hasta que el viento helado cargado con el
aroma del alba me dijo que había pasado la terrible noche
y fue hasta entonces que huí como un ladrón de mi propia
casa. El frío mañanero me pescó en el jardín y en la claridad
del nuevo día oí trinos y automóviles pero también escuché
cómo el bote que fuera la fogata crepitaba con brasas que
silbaban con sonidos de sollozos. No lo quise voltear a ver.

Discutí con Ordóñez ese mismo día. Lo acusaba por
teléfono de haberme mandado un restaurador sin escrú-
pulos que me quería asaltar dormido. Le menté la madre
gritándole que sus técnicas para amedrentar no me iban
a partir el ánimo y él no contestó, se mantuvo ajeno a su
boca parlanchina y a sus modos de negociador. «Yo no te
mandé a nadie, a esa casa la gente llega sola. Acuérdate de
los santos óleos de tu abuela».

Vivían con Má Rosario dos sirvientas. Chelo la encontró sin vida, pero aún caliente y avisó a María. Las dos sir-

vientas esparcieron la noticia por la calle cuando corrieron a buscar un cura algo antes de las seis de la mañana, pero hasta los más devotos duermen a esa hora así que sólo pudieron dejar recado en las sacristías. En el trajín, debieron dejar la puerta abierta porque cuando volvieron a la casa, un hombre arrodillado junto a Má Rosario gritaba con gran furia fórmulas en latín al oído del cadáver. «El alma aún no rompe su nexo con el cuerpo. Sólo así se puede abrirle las puertas del Reino», explicó a las sirvientas, pálidas del susto, que sólo se tranquilizaron cuando vieron que bajo el abrigo negro llevaba los distintivos de un hombre de la Iglesia. «No la cremen», amenazó antes de partir y así se hizo. Ordóñez guardó silencio dejándome recordar. «Véndela como esté. Dala al precio que quieras. Haz lo que sea pero deshazte de ella. Para que no sospeches, te lo digo de una vez: a mí no, yo no la quiero», me dijo y luego me colgó.

Salí de bares desde la tarde y bebí café como un poseso. Brincaba de una barra a otra temeroso de cruzar los ojos con cualquiera, perseguido por la mirada de petróleo, y ya de noche me bebía un trago tras otro sin sentir efecto alguno. Compré dos cajetillas esa noche y las fumé completas. Imposibilitado como estaba de volver a casa, gasté el resto de la noche en un tugurio, con una bailarina calentándome el regazo, sólo eso, platicándome su vida y desgracias mientras yo la escuchaba escondido tras mis ojeras azules. Como el lugar cerró, volví a la casa con la ciudad aún oscura aunque ya presintiendo que esa negrura profunda del cielo era el último doblez del manto nocturno que no tardaría en recogerse. Empujé la puerta y me encontré con un silencio reconfortante y sin el velador presente. Sonreí mientras subía los peldaños pero cuando iba a abrir la puerta de mi habitación con el rabillo del ojo descubrí una vela con una flama opaca que se movía tras de mí revelando sólo los contornos negros de la mano y la muñeca descarnadas que la sujetaban sin mostrarme a quien la sostenía. La mano y la vela flotaban en la absoluta oscuridad que precede al alba. Inmóvil con mi puño sudando sobre la manilla, evité mirar la aparición y entré a la recámara para hacerme ovillo poseído por un terror infantil que me arrancaba lágrimas y pucheros.

Con la primera luz del amanecer tocando la ventana, dormí y soñé a la abuela, mi Má Rosario. «¿Por qué a mí?», le pregunté con la voz trémula del niño que la escuchaba contar historias de aparecidos y de colgados, de buscadores de tesoros de los cristeros emparedados en los muros de las casas coloniales, «Porque creí que me ponías atención cuando te contaba cuentos». Me acarició su mano vieja y volví a preguntar, «El restaurador y sus chalanes, ¿me van a matar?», «Mi hijito, cómo eres pendejo, no es un restaurador, se llama Legión, porque son muchos». Había cal y canto alrededor de mí cuando me desperté, olía la mezcla fresca uniendo los ladrillos frente a mi cara, que no veía pero que sentía en las palmas de mis manos, adoloridas de golpear por horas sin que yo hubiera despertado aún, con las ropas infestadas por las patas de los ciempiés y las colas duras de los ratones ya royéndome vivo. Ensordecido por los gritos que no reconocía como los míos, derrumbé mi prisión fresca y salté hasta la baranda que rodeaba por encima al jardín, otra vez de noche. La casona restaurada hasta la soberbia se alumbraba por cien manos sin cuerpos que sostenían sendas velas y por todos lados ánimas en vestidos de luto lloraban amargamente mientras se mecían al ritmo de los martilleos de esclavos indios que esculpían demonios sobre las columnas con las espaldas desgarradas por látigos que chasqueaban sin capataces. Al centro, esperpentos femeninos semidesnudos avivaban un fuego inmenso de aquelarre y danzaban voluptuosamente alrededor del restaurador que ya lanzaba garfios agudos con sus ojos hacia mi alma que yo jalaba de una punta, el cabo fino de la cuerda del papalote desgarrado en que se había convertido. Como en una pesadilla, las piernas se me licuaron pero aún así corrí, corrí, corrí.

La fachada se ha ido desgajando con los años y recibí varias multas por parte del Ayuntamiento. Rematé la casa a la ciudad, pero, hasta donde sé, sigue deshabitada. Por demás está decir que he pasado más de una noche frente a ella, escuchando trajines de ultratumba a través de la puerta de nogal, pero siempre me negado a abrir la puerta con el duplicado de la llave que conservo todavía. Cremé el cuerpo de la abuela por puro capricho y conservo una reliquia traída desde Tierra Santa alrededor de mi cuello. Con más y más naturalidad recibo el golpe helado del alba en mi nariz y como un sortilegio hago señales de la cruz con ceniza en cada puerta y ventana de mi apartamento lejos del centro histórico. Ordóñez no ha vuelto a hablar conmigo y mi familia asegura que he perdido la razón. La ciudad se baña en sol durante el día y hace historias de aparecidos en las noches. Como las cosas me pasaron, yo las cuento.

Eritis sicut deus

Jorge, bandido pertinaz y obcecado justiciero, disimula el impacto de la bala con que Héctor Barrera, su autor, pretende matarlo a través del cañón que sostiene un juda crápula y sonriente de nombre Timo sin apellido, su acérrimo enemigo y perseguidor incansable desde el segundo tomo de la saga. Jorge, bandido atípico; una suerte de antihéroe forjado en el lugar común que busca el vino, la mujer y la fortuna pero encuentra siempre la desdicha y en el camino salvaputas con principios, indigentes moralistas, filósofos de cantina, madres vapuleadas y padres borrachines que se quieren redimir.

Héctor, su creador, ha querido escribirlo iletrado pero sabio. Lo parió con una lágrima de tinta y no sabe que su propio conocimiento literario, limitado, hay que decirlo, ha goteado de su pluma hasta permear en su personaje dejándole en su alma de papel una suerte de intuición que Héctor no pretendía escribir pero se le escapó en fórmulas repetitivas y gastadas. Los ojos de Jorge se abrieron en citas inmiscuidas por Barrera, por pura vanidad, en los labios de Fabio, poeta rival de amores, pareja de cópula frecuente con Lupita, la más bella flor de la colonia marginal.

Héctor escribe una bala y Jorge pretende morir, finge la entrega, pues ha descifrado que lo escrito conlleva falsedad. Una pasta suave se cierra oscureciendo el cielo de la ciudad y con las gotas de su vientre lagrimeante Jorge estilografea curvas bermellón sobre el azulejo del baño del metro. Me escribe a mí para seguir siendo narrado y no morir, muy a pesar del pobre Héctor que ya puso el punto, pero no final, y cerró el cuaderno, satisfecho, como Jorge que ya se levanta y me deja a mí goteando tinta.

Ga soluciona un problema de lenguaje

> Y cuando duermo si ti, contigo sueño,
> y con todas si duermes a mi lado.
> JOAQUÍN SABINA

Abel, despertaste dudando de la estratagema, pero al fin dormiste de un tirón hasta la mañana. Anudó la corbata con cuidado aun antes de ponerse los pantalones. Traje negro, camisa blanca, corbata negra, fiesta y luto. Miró la moto al bajar por la escalera del departamento y pensó que habría que venderla enseguida, no era propia de la vida de casado. Pudo haber sido el cambio de horario; Puk, el sátiro burlón; o Pepe Grillo, que no era otro sino maese Collodi dentro de *Pinocho*, pero el reloj le patinó una hora. Llegó tarde al templo y ahí vio salir a su mujer deslumbrante en blanco, rodeada de la multitud entacuchada que la felicitaba. También lo felicitaban a él, recién casado, barbón y pelo en pecho. Él no es Abel. Abel recargó el hombro derecho en la fachada de la casa en la contraesquina del templo y observó. Olió, sudó, tembló y vio a los mirones clavar los ojos en él, que ya lucía desfajado, sostenía un cigarro, una cerveza y tenía la corbata desurdida sobre cuello manchado de la camisa blanca, despeinado.

Te atragantaste con las sílabas, Abel. Con el temblor de un niño buscaste todos los modos de embriagarte y empastillarte, pero no encontrarás en tus viajes a licorerías y farmacias un solo producto que no incluya las letras de *mujer* o las vocales de su nombre. Todo es ella, el mundo se enmascara de un solo rostro, dice ron con *r* final de mujer, dice anís con una vocal de ella y así se hallan también las letras y vocales en brandy, whisky, Bacardí, Wyborowa, barbitúrico. Todo está envenenado por principio que eres tú. Si la condenación vino por la mujer, por ella ha de venir la salvación. Falacia. Cuenta tú la historia y yo te la recompongo.

Abel, beldad bíblica, bello *bambino* bocón brincó de la cama, asustado por la presencia de un cuerpo junto a él. Vio a su lado a una mujer, pero no supo a quién vio, si a Carmela o a su ex. Mujer, jerum, jurem, merju, ¿quién sería? ¿A qué te quedas, Abelardo? ¿A averiguar? En las sombras de la caverna nada más se mira la figura femenina, tan tenue es la luz de la hoguera. Revolvió las sombras y dio con los zapatos, el pantalón, la playera azul y la chamarra de piel. Cuando ella notó que el amante se le escapaba, de puntitas, hizo mmm, esta vez molesta, no apasionada.

Abel, *bellissimo garçon,* deja una nota tras de sí:

Carmelita:

Te he dicho que tu nombre es evocación floral y religiosa, que tu aroma es el de la santidad que acompaña al estigma y es ese aroma el que ahora mismo voy a extrañar, pero no podría quedarme contigo porque, aunque lo quisiera, te volvería triste a fuerza de rodearte de mí. Quisiera tener todo el tiempo del mundo para gastarlo caminando por tus curvas de tierra morena, pero debo dejarte ir. Es éste, quizás, el momento del que voy a arrepentirme siempre.

¡Pero qué lugar común el tuyo! La punta del cipote que es la campana de Gauss, falo de donde se maman los mercados. En las orillas de su cuerpo se le hacen cosquillas para descubrir zonas erógenas nuevas, mercados no advertidos, pero tarde que temprano hay que volver al centro, donde está la acción y darle y darle hasta que se derrame, económicamente, y las pancitas complacidas de la gran cadena alimenticia sientan su calor de proveedor perenne. Tan sabio es el proveedor, que también provee a la mujer. Un solo comportamiento para todos los mercados, un dichoso cartabón para todas las mujeres. ¿Por eso no renunciaste?

Al terminar un análisis, Abel se pasea por el área de telefonistas, inacabable suministro de las cuasi vírgenes coránicas que se han prometido al que muere en guerra santa. Abel, benjamín amedrentado, planeas la huida antes de atacar. Acomodabas el cartabón y tirabas la línea de tu lápiz. Resultado: paralela, lo mismo pero a un lado, lugar común, mira nomás: aprendí a ver en tus ojos. Abel agacha la mirada. Si me das una tarde, no te vuelvo a molestar. Abel toma una mano. Nunca cuento esto que te conté. Abel besa una boca. Esto puede terminar en el amor, Abel escribe adiós en una carta.

Abel, beligerante bellaco, despierta escuchando una voz. Es tan tenue la luz de la caverna que apenas ve un cuerpo de mujer al lado suyo. Mira copas para vino con agua hasta la mitad y velas apagadas flotando en su interior. Mira a esta mujer tan complacida y tal vez podría dormir con ella, pero ambos trabajan mañana. Que razón tenía el griego del Cratilo, una sola idea, la única en la caverna que hace sombra y amilana el fuego hasta las brasas. Lo hace recular, fracasa, fastidio, falacia, finir, fallar, *fuck*! Así de todos modos Ruth es una yegua caderona que imbuye fuego en la mirada más recatada, nombre hebraico, mujer que volvería tu carne su carne y su dios tu dios pero el dios es incompatible por ser concepto personal, no susceptible a divisiones por su unicidad atómica, píldora religiosa en porción para uno.

Abel no llegó tarde a su boda. Las trastocaciones horarias fueron idea de Collodi, Ga, cuando raspó las virutas para desenterrar a su marioneta. Abel sigue mirando a la novia desde la contraesquina del templo. La vio desde que bajó del auto y una jauría de perros de guardia lo miraron a él. Abriste una cerveza, Abel, pero no te servirán tus palabras mesuradas ni tus modos elegantes. Traías tragos y cigarros, sólo eso puedes cargar. Con tus desvaríos lingüísticos extraviabas a tus interlocutores y seguías con la vista a la mujer, el origen de las sombras de la caverna. Déjala en paz, te dijeron, te jalaron, te empujaron, Abel ya está solo otra vez.

Ruth:

Tan sólo con las reminiscencias hebraicas de tu nombre bastarías para yuxtaponerte a mi periplo de condenación a la soledad, pero es este angosto camino el que debo seguir sin compañía. Llevo tu sonrisa en mi memoria y tus imprecaciones justas vueltas faros de comportamiento. El tiempo te dará la razón en olvidarme y quizás a mí me haga volver la vista atrás para volverte a buscar y darme cuenta de que te perdí, a ti que pudiste ser el amor.

La lengua se te ha ido, Abel. Arrebatado por el amor extraviado, Abel, te perdiste en experimentos. Buscó rostros indefinidos, los nombres tienen una cara, los desconocidos no, error fatal. En el nombre de cualquier amante se esconde su condición de mujer. Las mujeres del harem son sólo una, y aún las fantasías se acabarán veloces, incluso las que tuvo con tu hermana cuando se paseaba con su minifalda de mezclilla o negra, no recuerdo. Desgarra el cuello al ganso sólo o acompañado, pero llegará el momento de recombinar nombres, palabras, buscar fuera de las letras de mujer y las vocales de María. Los eslabones del ADN pueden separase y volverse a tramar como imbricados tapetes de plumas precortesianos, así se podrán también recombinar las letras de un alfabeto de menos de diez letras que no lo dejará leer más desde que lo dejaron para habitar en un país de coitos sobrios y de frente con amantes velludos que Danielle Steel creó para que ella se alejara de él, Abel, pero Abel quiere ver la verdad, de verdad la quiere ver. Problema sólo de él, porque ella no hace analogías ni revuelve las enredaderas de los nombres en sus etimologías encabalgadas fornicantes ni ve en las toxinas de farmacias y licorerías a las letras formular conspiraciones como Abel, que se acuesta con una y sólo ve a la otra con el torso desnudo dormir junto a él. Se indigesta Abel, hace dos años lo abandonaron y hace meses sabe que María se casa hoy. Se indigesta porque ya la palabra *mujer* y el nombre no olvidado son una sola cosa, qué decir de los cuerpos que no importan colores, edades y texturas ya forman parte del misterio de su santísima trinidad de imagen, forma, palabra en un solo símbolo irrompible, otra unicidad atómica como el dios que es cegatón y torpe con las manos, que dicen que no juega a los dados, pero le mandó *full* de reinas a Abel, momentos antes de lanzarle el as del cubilete.

Han pasado dieciocho pares de piernas caminando sobre Babel, ya un *cocktail* hipercargado de la lengua, cuando da con Ga, apócope de nombre cantonés, impronunciable, en un intento de trazar otra paralela. Se sentarán en un café, nada más dame una tarde, tengo todo el mes, si te interesa, y hallará sonidos nuevos, piel distinta, versos haiku —¿japonés?— que se envolvían en labiales maybe-lline. Contemplación pura al otro lado del mundo. Siete días en el desierto, pero no en el de Gobi, sino en el de Ga, que no presta manantiales pero escurre lengua nueva. Abel abeja trabajadora, cuentasecretos, Ga no se chupa el dedo ni liba labios, pero sí cuenta los secretos propios petri-ficando en monolito de preguntas a Abel. «A vel, dime pol qué quieles cogel». Destrábate lengua, hábleme de usté. La inundación que provoca el rompimiento del núcleo tlaleo-lítico parece romper con las ataduras del observador de la caverna y surgen llamaradas tras de sí, danzan las sombras. A Ga no se la hacen dos veces. Huyendo de un mal amor desde el Oriente, llegó al país queriendo emborracharse con tequila, ver Chichén Itzá y conseguirse un *latin lover*. Cuéntame tu historia, Abel, y yo te la recompongo, dice ella, viajante aventurera que desde sus problemas trae solu-ciones y acabó por empiernarse al más triste caso conocido no sin antes analizarlo a profundidad y descubrirle el hilo negro. Sus ojos ausentes le hacen señales como un náufrago y de ella no surge la costa del espanto. *Brüllen* tracatacs en la torre de Abel, hay acto y confesión. Ya tendido sobre la cama, no encuentra cómo huir de Ga porque no le halla eti-mología. La sacude un poco antes de volverse a dormir, por fin, otra vez junto a una mujer. Es que se va a casar mañana. Cásate tú primero, aparece como si fueras el novio. Ya que me sé tu historia, ésa debe ser la solución.

MUJER. Las palabras no eran más que ésa, mirada al techo. Tu campana de Gauss amamanta una palabra nueva. Estuviste en silencio tanto tiempo, contemplación nostálgica pura, que repetiste la palabra hasta destruirla, hasta despojarla de toda significación, volverla insignifi-cante. Juerm ujerm jurem jerum murej meruj mrjeu pero la palabra no era tdoo lo qeu se cíaa a pdezaos snio tmabéin cno ella las curvas corvas, remansos, los esteros que anidan al sol, la hojarasca del bosque húmedo en dónde caminar descalzo. Cabriolando como niño, eructando formas glíglicas mujer eran los cuerpos y los nombres, tu propia mano y una foto, carambola de nalga y seno, vituperio contra la forma genésica. Buscarás su noema hasta el fin de símbricas flaunimodeas, recordarás jijís, jajás, ejem, ajás, jantiforejeando evocaciones. Igual que mañana fuiste siturpelado a su encuentro y ella te mirará sin recomponer lo que quebró, te encontrarás ahí mismo superior a ti, feliz sin ella, repalabrearás acomodas y enversarás marroquines. Miembro puesto al pairo, derivas de divas vivas en tu sangre, virulentas herencias de pasión. Casitocantes juntas de caminos, yuxtapuestas reverberaciones de agluticaniontes errotismos en persecución de unicornios se viedrán tronchadas y entendibles con las macadamias de las afroditas de las que saliste huyendo que no eran sino hiperretóricos textos de los enmiendos a huevo inconcordantes. Los reflejos de una sonrisa, los olvidos de una promesa, los recuerdos de la *uninvited femme fatale, carissima mona, stultus fructis ventris sui,* tú.

María arrugó hace años una hoja de papel y lloró sobre ella antes de entregármela, confiesa Abel a Ga aún en el café. «Te llamas como el inocente asesinado. Así siento que te mato yo, sin culpa. Tal vez el tiempo nos vuelva a unir, pero espero no ver este momento y saber que me equivoqué al dejarte a ti que me regalaste tus tardes y tus secretos.» Abel, después de un breve conato de linchamiento de los allegados del novio, observa frente al templo cómo termina la ceremonia dando un trago largo a una cerveza y una buena pitada a su cigarro. Ga, en la otra esquina, sobre la moto, lo observa a él. Sabe que para volver a encontrarle significado a una palabra después de repetirla hasta la incomprensión, sólo basta verla usada en el correcto contexto semántico. Ga está feliz habiendo solucionado el problema del otro, pero sigue sin dar con una solución al suyo que no es lingüístico, sino visual: no puede recordar un rostro, pero este difícil embrollo no puede ser solucionado en prosa. Hay una serie fotográfica al respecto («Abel soluciona un problema de retórica visual»). «¿Listo, Abel?». Se sonríen. «Listo, mujer, te invito una cerveza».

Índice

Colisiones
se terminó de imprimir en noviembre de 2015 en
Editorial Página Seis, S.A. de C.V.
Teotihuacan 345, Ciudad del Sol
CP 45050, Zapopan, Jalisco
Tels. (33) 3657-3786 y 3657-5045
www.pagina6.com.mx • p6@pagina6.com.mx

Coordinación editorial: Felipe Ponce
Diagramación: Javier Bella
Cuidado del texto: Mónica Millán y Javier Bella
Diseño de cubierta: David Pérez